KB103337

양다혜 1화

낡은 흑백사진처럼 시간이 지나면 지날수록 더욱더 소중해지는 것들이 있다. 스쳐가고 헤어지고 다시 새로운 인연을 만들어 가는 과정에서 때때로 일본에서 아니면 한국에서의 일상은 차가웠을때도 있었고 뜨거운 사랑을 했었을때도 있었을 것이지.

찬란했던

꽤 우울했던 나의 20대 히로시마

어느 날부터 기억이 서서히 잊쳐져 가다가 그때의 기억을 떠올리는 순간 어느새 그 순간에 머물러 있는 느낌이 든다. 그러다 문득 옛날 추억이 떠올라 일기장을 펼쳤다.

오랫만에 펼친 일기장에는 20대에서만 느낄수 있었던 풋풋함이 느껴졌다. 무엇이 그렇게 나를 바꾼 것일까? 20대때 나와 지금 36살인 나는 과연 어디까지 도달한걸까?

1

다시 돌아갈수 있다면

난 언제로 돌아가려고 할까?

돌아가고 싶은 이유는

그때의 시절에 대한 향수병 같은걸까?

아니면

20대때 느낄수 있는 감정 때문일까?

나이를 먹은 지금도 그 이유는 잘 모르겠다.

다시 돌아갈수만 있다면 난 언제로 돌아가려고 할까? 돌아가고 싶은 이유는 그때의 시절에 대한 향수병 같은 것일까? 아니면 20대만이 느낄 수 있는 감정 때문일까? 나이를 먹은 지금도 그 이유는 아직도 잘 모르겠다.

다시 가고 싶어서 그리운걸까?

다시 갈수 없어서 그리운걸까?

2

양다혜 2화

부의 기준에 유능함이 들어간다면

나는 아마 상위 1% 안에 속할지도 모르겠다.
지금껏 가지고 싶었던건 전부다 가질수 있었고 이루고 싶은건 다 이룰수 있었다.

원하는 것이 있으면

아버지가 재벌 2세인 딸한테 물려준

주식과 돈으로 무엇이든지 사버리면 되고

사랑을 받고 싶다면 특유의 애교와 적당한 밀당 성적인 어필을 통해서 얼마든지 사랑을 얻어낼수 있었다. 좋은 성적을 받기 위해 책을 대충 몇 번 정도 대충 읽는다면 금새 어느 위치에서나 최고가 될수 있었다. 유능. 하지만 그 유능한 나한테도 얻어내지 못한 것이 있었다. 고등학교때 같이 다니던 이성 동급생의 사랑을 얻고 싶었다. 그녀는 긴 검은색 머리카락에 신비할 정도로 검은색 눈동자를 가지고 있는 애였는데 아마 그 여자아이와 이야기를 나누게 된다면 평소에 가식적인 사랑을 하던 나의 인생도 바꿀수 있다는 믿음이 생길 정도로.

3

그래서

그녀한테 우연히 만난 것 처럼 가장해서

같이 친구처럼 지낼 인연을 만들었고

분위기를 만들었고 고백했다.

하지만 돌아온건 그녀의 쓸쓸한 미소

나의 가슴에 처음으로 핀 검은색 장미는 그녀의 미소와 같았다. 그 무엇보다 아름다웠지만 그 무엇보다 허망하고 바닷물을 마시는 것 처럼 갈증이 났다.

"저기, 다혜야. 오늘 시간 돼?"

"딱히 시간 내고 싶지 않은데요."

엄청난 무관심으로 일관하고 우리 학교 미남으로 소문한 남자는 계속 내 곁에 달라붙어 떨어지지를 않는다. 훤히 보인다. 어떻게든지 옷을 벗기고 성관계를 하려는 하는 음흉한 생각들이 정말 자기만 잘난 줄 아는 저질스러운 남자이다.

4

난 저런 남자 따위에는 관심도 없고 앞으로도 관심 가지고 싶지도 않은데 왜 단호하게 거절까지도 했는데 남자들은 왜 저렇게 달라 붙는건지 정말 세계 7대 미스터리 중에 하나에 속해도 손색이 없을 것 같다. 이 정도면 말이다.

"말 다 끝났어? 난 이제 가본다."

"응? 아쉽게시리... 하룻밤 자고 가지?"

병신 같은 새끼. 하긴 한심하고 멍청한 여자아이들이라면 바로 따라갔겠지. 돈도 많아. 애비가 검찰총장이라서 빽도 든든해. 잘 생겼고 성격도 그닥 나쁘지 않아. 하지만 난 이런 멍청한 년이 아니야. 유능하니까. 유능하니까. 저런 더러운 상술에 넘어가지 않아.

"우리 아빠가 검찰총장이라서 나 돈 많아. 높으신 양반들이 알아서 뇌물을 가져다 바쳐주거든. 얼마면 돼?"

그 남자는 자신만만한 표정으로 말했다.

나는 그 말에 그저 아무런 말도 하지 않고 그저 학교 정문으로 가는 계단만을 걸을뿐이였다.

5

어차피 그 인간이랑은 전혀 이야기조차 하고 싶지 않으니까. 난 그 남자보다 유능하니까.

"정말 괜찮겠어?"

그 남자가 학교 정문 앞에서 나를 쳐다보면서 말했다.

"응 괜찮으니까 걱정마."

그 말만 남기고 나는 집사가 열어준 하얀색 롤스로이스에 탔다.

양다혜 3화

"확인하러 왔어. 너의 손바닥이 얼마나 뜨거운지."

초등학교 6학년 꽤나 오래전 이야기이다. 수영장수업이 끝났을때 갑자기 나를 끌고 물 안으로 뛰어든 여자아이가 내 손바닥을 잡으면서 한 이야기이다. 나는 당시 많이 놀라서 그저 공기방울만을 많이 뱉어냈다.

6

다리를 버둥버둥 거리면서 물 속에서 자세를 유지하는 나의 손 그 여자아이는 그저 잡고 있으면서 봐라봤다. 맞잡은 손은 확실히 뜨거웠다. 차가운 수영장 물 속에 있으면서도 느껴질 정도로.

내가 말한 것처럼

그 여자아이의 손에는 분명 차가운 물에서도 느껴질 정도의 열기가 느껴지고 있었다.

그 열기가 조금만 더 강렬했다면

모든 걸 녹일 정도로 말이다.

손가락 끝은 바짝 긴장이 되어져있었다. 호흡이 허락되지 않은 물 속 세계에서 그 아이는 나와 잡은 손과 내 얼굴을 번갈아가면서 쳐다봤다. 미소와 또 다른 부드러운 표정을 지어 그 여자아이는 나한테 보여준다. 그리고 반대편 내 손을 잡는다.

두 손이 이어진 상태로

서로의 손가락이 얽히듯이 더 꼭 잡는다.

7

아마 그 열기에 내 손 바닥도

뜨거워 지고 있을지도 모른다.

둥글런 공기 방울처럼 신기하고도 찌르면 부서질것 같은 짧은 시간을 우리는 같이 했다. 영원히 이어지는 꿈 같은 시간 같았다. 하지만 그 기쁨도 잠시 점점 차오르는 숨 때문에 내 얼굴이 점점 일그러지기 시작했다. 이제 환상같은 시간도 끝나가는 것 같아서 나는 눈빛으로 그 아이한테 다시 밖으로 올라가자고 호소했다.

그 여자아이는 천천히 고개를 젓더니

얼굴을 가까이 들었다.

무엇을 하려고 하는걸까? 손이 붙잡혀져 있어서 전혀 예측조차도 할 수가 없다. 그 여자아이는 내 목덜미에 얼굴을 붙쳤다. 차가운 물 속에서도 그 아이의 손의 온기는 더욱더 강하게 느껴진다.

목에 그 여자아이의 입술이 포게진다.

8

그 입술이 조금 움직이더니 머리까지 소용돌이가 치는것 같다. 입술과 목의 틈새에서 무언가가 넘치는 것 같았다.

뻐끔, 하는 소리와 함께 생겨난 공기 방울이 점점 위로 올라간다. 이 여자아이가 나한테 무엇을 하려고 했는지 이해가 간다. 공기를 주려고 한 것이다. 조금이라도 오래 나랑 같이 있기 위해서 라는 그 아이의 의도를 나는 그 공기방울을 마시면서 받아드렸다.

그 순간 심장에 금이 갔다.

그렇게 밖에 생각할수 없는 날카로운 통증에 가슴이 저린다. 쩍 소리가 나면서 금이 가는 것이 느껴졌다. 나는 황급히 여자아이의 손을 강제로 때어버리고 물 위로 올라왔다.

내 거친 숨소리만이 내 귀를 가득 체운다.

혹시나

내 자신이 망가지지 않았는지 불안한 마음에

손가락이 떨리기 시작했다.

"방금 무슨 일이 일어난거지?"

9

심장의 통증으로 인해 눈 앞에 불꽃이 보였고 그 불꽃 안에는 무언가가 보였다. 아니면 심장이 나한테 통증을 준 것은 내가 보면 알면 안 되는 것에 대한 경고인걸까? 그 여자아이도 나의 갑작스러운 태도에 허둥대면서 올라왔다.

"양다혜? 괜찮아?"

뻗어오는 여자아이의 손을 피해서 수영장 끝으로 황급히 도망쳤다. 무언가 말하려고 하는 강사의 목소리도 나한테 들리지 않았다. 손과 팔 그리고 젖어있는 머리카락도 제대로 닦지 않고 대충 옷만 입은 채 탈의실에서 나왔다. 허둥지둥 나오느냐 라커 키와 수영모를 챙기지 않았다는 사실을 알지만 다시는 돌아가고 싶지 않았다.

그리고 그저 미친듯이 달려서 도망쳤다. 혹시나 그 여자아이의 발소리가 들릴까봐 더 빠른 속도로 나는 도망쳤다. 더운 여름의 햇살도 아까전에 젖은 물기에 가로막힌 듯 피부에 전혀 닿지 않았고 무서움이 내 온 몸을 집어 삼켰다.

10

다만 한 가지는 확실히 내 머리에 각인이 될 정도로 기억에 남는다. 그 아이가 전해주는 공기 방울 끝에 있는 것 그것은 내가 아직 알아서는 안 되는 것이다.

그때 당시 6학년의 미숙한 생각과 미숙한 연령대에 나는 그런 방식으로 그 것에 대해서 본능적으로 받아드렸다. 말로는 표현할수가 없는 공포가 내 온 몸을 지배했다. 나는 그저 두렵기만 했다. 단지 6학년인 내가 알수 있는 것은 그 여자아이를 다시는 만나면 안 된다는 사실 뿐이였다.

이제

고등학교 2학년인 나한테

이 일은 점점 잘 떠오르지 않는다.

아니, 어느새 내가 그렇게 늙어버린걸까?

그래도 사라지지 않는다.

상처든, 온도든, 그 어떠한 감정이든.

11

양다혜 4화

늦은 밤, 모텔의 거리.

여러 커플이 가까이 붙어서 안으로 들어간다. 간혹 보이는 나이 든 남자와 젊은 여자. 구역질이 날 정도로 역겹다. 바보 아니야?

겨우 돈 때문에 남자들한테 자신의 몸을 파는 거야? 그딴 돈은 며칠이면 잔뜩 불릴수 있는데, 머리만 잘 쓰면, 아니 멍청하니까 저런 거겠지. 애초에 똑똑하면 그런 일은 안 하니까.

한심하다듯이 주변을 둘러보고 토가 나오는 걸 억지로 참아내면서 이 길을 빠르게 빠져나가려던 순간이었다. 익숙한 모습의 여성이 어떤 남자와 함께 모텔에 들어가려고 한다.

정장 입은 나이 많은 남자

머리는 다 벗어져서는

배가 나오고

표정에서 음흉한 분위기가 잔뜩 뿜어져 나온다.

12

그보다 어색하게 팔짱 낀 모습은 전혀 연인 같지 않았다. 분명 그런 것이겠지. 하지만 그것보다 그의 팔이 달라붙은 여자, 저 여자는 설마..

"안소영?..."

순간 눈이 마주친다.

본능적으로 내뱉은 말은 그녀의 눈빛을 나한테 끌고 오게 하기에는 충분했다. 그리고 휘둥글어지는 그녀 특유의 검은색 눈동자 나는 그 눈동자를 보고 고등학교 시절 내가 고백했던 이성 동급생이라는 걸 확신할수 있었다. 그녀는 나를 보자마자 눈빛을 피하기 시작했다.

"안소영 너 맞지?"

나는 본능적으로 소리쳐 그녀의 이름을 불렀다. 이 기회, 이 우연 따위 결코 놓치고 싶지 않았다. 그보다 한 가지 궁금한건 도대체 그녀가 왜 머리가 다 벗겨지고 배가 나오고 표정에서 음흉한 분위기가 퍼져나오는 아저씨랑 같이 모텔에 들어가려고 하는지 그 이유가 궁금했다.

13

"뭐야? 앤?"

"모르는 사람이에요. 들어가요. 삼촌."

"소영아. 그러지 마."

사실 이미 알고 있었다. 안소영의 몸에는 흉터가 있다는 것을 그리고 그녀가 그걸 숨기려고 하고 있다는 것을 그리고 그녀가 가정 폭력을 당하고 있다는 사실도 알고 있었다.

그 정도는 오랫동안 친구로 지냈고 오랫동안 고백을 망설렸다가 겨우 사랑한다는 말을 내뱉은 내가 아는 사실이다.

"방해하지 말고 저리 가. 너도 하고 싶은 거니?"

"뭐라고 지꺼리는거야?"

"말이 아주 거친 학생이네. 좋아 50만원 주마."

뭐야? 이 새끼는.. 역겨워.. 역겨워.. 온 몸에서 나오는 돼지 육수 특유의 역한 냄새, 배 나온 아저씨, 음흉한 눈빛으로 쳐다보는 그 역겹고 구역질 오는 눈빛 뭐 하나 정말 마음에 드는게 없다.

14

안소영? 넌 도대체 이런 남자랑 왜 있는거야? 중학교 때까지는 꿈이 있었잖아?

바보 같이 사소한 이야기에 웃고

순진한 미소를 짓던 그 아이는

도대체 어디로 간거야?

나는 휴대폰을 들어 그 남자한테

하고 싶은 말들을 했다.

 "방금 말 녹음 했어요. 이걸로 경찰서에 가면.."

 "좆 같은 샹년이..."

 "신고하기 전에 그냥 돌아가요."

사실 녹음 같은 것을 할 상황은 아니었다. 그럴 시간도 없었고 다만 나는 그 남자가 끼고 있는 반지에 주목해서 한번 떠보려고 말한건데 그게 먹힐 줄이야. 멍청한 유부남 새끼 지 가족이나 잘 챙길 것이지. 성욕에 미쳐서 미성년자랑 한번 부비부비 해보려고 지랄이야.

15

"소영아? 무슨 일이야? 괜찮아?"

"짝!"

그녀는 나의 얼굴을 큰 소리가 날 정도로 때렸다. 살면서 누구한테 맞아본 적은 단 한번도 없다. 그런데 맞은 부위보다 마음이 아픈건 도대체 도대체 왜 그런걸까? 안소영? 아마 이런 감정도 이런 마음도 사랑이리고 불릴수 있는 것일까?

"소영아."

"제발 그 이름으로 부르지 마. 넌 언제나 방해꾼이였어. 중학교때부터 지금까지."

안소영은 나를 보고 소리치듯이 말했다.

이해할수가 없다.

소영아. 내가 잘못한거니?

그렇다면 용서해줘.

어떻게 하면 될까... 너는 그때도 지금도 전혀 모를 것 같단 말이야.

16

눈물이 흘러나왔다. 가슴이 아리고 점점 아려서 미칠 것 같다. 이런 감정은 6학년때 수영장에서 기억 이후 처음 느끼는 아릿하면서도 고통스러운 게 숨이 텁텁하게 막혀온다.

"이젠... 몰라.. 난.. 돈이 필요해... 다시는 아버지한테 돌아가고 싶지 않아.."

"돈이 필요하면 내가 줄게. 저런 저질스러운 아저씨랑 성매매 같은거 하지마. 툭 하면 자기 멋대로 하는 남자 따위와 같이 하지마. 제발 제발 너 자신을 소중히 여기란 말이야!"

사실 소리까지는 지르고 싶지 않았지만 내 안에존재하고 있는 이성의 선이 한계에 닿아서 결국에는 끊어지고 말았다. 제기랄.. 이렇게 까지는 하고 싶지는 않았는데..

"일단 우리 집으로 가자. 안소영."

화가 나서 소리를 지른 다음에 나는 덤덤하게 이성을 되찾고 그녀한테 말했다.

17

양다혜 5화

소리를 지르면서 한 이야기때문인지 아니면 100만 원이라는 돈을 주겠다는 이야기 때문인지는 모르겠지만 안소영의 표정은 변했다. 그전의 표현이 분노와 슬픔으로 설명할수 있다면 지금 그녀가 짓고 있는 표정은 의심과 의문 그리고 아까전에 내 뺨을 때린 것에 대한 미안함이었다.

어째서

사람은 돈이라는 것에 마음이 쉽게 변하는 것일까? 내 눈에는 그저 종이 쪼가리에 불과한것인데.

안소영.. 그녀도 왜 그 종이 쪼가리에 비겁한 표정을 짓는거야? 왜 그러는거야? 라는 말이 목 젖까지 올라오지만 나는 아무 말도 하지 않기로 결심했다. 정말 모르겠지만 아무 것도 모르겠지만 이걸로 그녀를 도울수 있다면 그게 나한테 아까전에 든 의문은 그저 사소한 문제에 불과한것인가.

18

어째서일까?... 나는 지금 그녀와 함께 결국 내 집으로 들어오게 되었다. 그나마 다행인건 큰 평수의 아파트에서 나 혼자 산다는 것과 부모님한테 이런 장면들이 보여지지 않는다는 것이 유일한 위안거리겠지...

생각 없이 그저 너무나도 화가 나서 던진 말이지만 그녀는 그 말을 진심으로 받아드린것 같다. 옛날부터 그리고 오랫동안 그녀와 같이 관계를 맺는 것을 1분 1초도 빠짐없이 생각해왔지만 이런 방식이 될 것이라고는 전혀 예상하지 못했다.

고작 100만원에 이 사실이 믿겨지지 않아 나는 그저 내 침대에 멍안히 앉아있을 뿐이였다.

욕실에서 씻고 있는 그녀.

나는 그녀의 가방에서 콘돔을 발견했다. 다행히도 아직 뜯지 않은 새 콘돔이였다. 하지만 그녀가 얼마나 많은 남자들이랑 그런 관계를 맺어왔는지는 나도 잘 모르겠다. 역겹고 정말 더럽다. 하지만 이상하게도 그런 생각들보다는 안소영을 사랑하는 마음이 더 컸다.

19

나는 이 상황이 어이가 없어서 그저 씁쓸한 웃음을 지으면서 침대에 앉아서 그녀를 기다렸다. 어느새 씻고 나온 그녀, 세상의 거친 파도와 풍파에 망가지고 부셔서 중학교 때 나한테 보여준 풍부한 표정은 어디로 갔는지 모를 정도로 사라졌다.

그 대신 남은 표정은 삶의 의미를 잃어버린 듯한 허무하고 공허한 표정만이 그 자리를 대신했다.

"다혜야. 정말 100만원 줄거야?"

"응.. 돈은 얼마든지 줄수 있어.. 그러니까 남자들한테 몸 팔지 마."

"공짜로 무언가를 받을수 없어. 다혜야. 너 나 좋아했지?"

그녀는 미소를 지으면서 말했다.

텅 빈 미소 나는 그런 미소 따위 좋아하지 않는다. 하지만 어째서 어째서 나는 왜 그런 미소를 보고 두근거리는걸까? 그저 소영이의 미소를 보고 온 몸이 떨리고 설레임까지 들다니 나도 정말 쓰레기이다.

20

"그럼 나랑 섹스하는 것도 꿈꿨겠네?"

"응.. 근데 이렇게 되는건 바라지 않았어.."

"사실대로 말하면 난 여자들끼리 하는건 몰라. 그래도 오늘 밤을 보내면 돈을 주는거지?"

돈을 주고 몸을 산다. 듣기만 해도 역겹고 구역질 나오는 일이다. 정작 그 일을 내가 하려고 하는 것이 정말 모순적이기는 하지만 그 어떤 방식을 써도 그녀의 사랑을 얻을 수 없었다. 그래도 단돈 100만원 내가 옷을 한벌 쓱 보고 살때 쓰는 돈을 그녀한테 썼다.

이윽고 그녀는 하얀색 가운을 벗고 나한테 서서히 다가온다. 나체인 그녀의 몸에는 아버지한테 학대를 당한 멍 자국들이 남아있다. 그럼에도 그녀한테도 느껴지는 특유의 매력에 흥분된다. 그것도 아주 미친듯이 도대체 나와 아까전에 돈을 주고 그녀를 사려고 한 아저씨와의 차이점이 전혀 느껴지지가 않아서 약간의 죄책감이 들었다.

21

하지만 안소영이 나한테 다가와 목덜미에 가볍게 키스를 하자 그런 생각들은 눈 녹듯이 사라지고 그 대신 내가 6학년때 내가 느꼈던 통증이 아리게 아파오는 느낌들이 쾌락으로 바뀌기 시작했다.

"너는 이런 식으로 돈을 벌었던거야?"

"아니 아직 처녀야. 그래서 돈을 많이 받을수 있었어."

"그랬구나."

나는 더럽혀진 진흙탕 속의 검은색 천사가 아직 육체적으로 더럽혀지지 않은 것에 안도했다.

그 안도는 비겁하고 염치가 없었지만 말이다. 나를 침대에 눕히는 그녀와 눈이 마주친다. 끝까지 돈을 이야기하는 그녀의 말은 이제 들리지 않는다. 그저 더럽혀진 진흙탕 속의 천사와 서로 몸을 맞대고 쾌락을 느낄뿐이었다.

22

양다혜 6화

"소영아 . 넌 이게 처음인거네."

"응. 맞아."

내가 섹스를 못하는건지 아니면 그녀의 감정이 이미 메말라버려서 아무 것도 느끼지 못하는건지는 잘 모르겠지만 그녀는 끝까지 표정의 변화가 없었다. 아무리 능숙하게 해보려고 해도 아무리 분위기를 반전시키려고 해도 그녀가 느끼는 일은 전혀 없었다.

"소영아. 이제 남자는 만나지마."

"그럼 다혜 너가 나 사줄거야?"

옳지 않은 일이라는건 이미 안다. 분명히 잘못되었다고 이게 사랑이라고 변명하듯이 말할수 없다는 것을 너무나도 잘 안다. 하지만 그래도 나는 그녀를 너무나도 원한다. 정확히는 그녀를 사랑한다는 말이 맞겠지. 씁쓸하지만 안소영을 다른 남자로부터 지키고 그녀랑 같이 할수가 있다면 그건 나름의 괜찮은 선택이라고 생각하는 내 자신이 너무나도 경멸스럽게 느껴지지만 이제는 어쩔수 없다.

23

나는 진흙탕에 빠진 그녀를 사랑한다.

그리고 내가 생각하는 그녀는

생각보다 예쁘고

생각보다 아름답고

생각보다 더러웠다.

어느새 내 안에서 간직하고 있었던 아름다운 검은 색 장미는 그저 썩어 문들어져서 흔적도 없이 사라졌다.

양다혜 7화

안소영과 성관계를 한 다음에 그녀가 죽는 꿈을 자주 꾼다. 꿈속에서의 그녀는 중학교때의 교복을 입고 있었는데 지금과 다르게 풍부하고 해맑은 표정을 짓고 있었다. 그녀의 몸에는 멍따위는 없었고 모든 것이 완벽했다. 우리는 집사가 운전하는 하얀색 롤스로이스 뒷자석에 타서 각자 취향에 맞는 음료를 마시고 하고 싶은 말들을 하고 같이 좋아하는 노래들을 차 안에서 마음껏 부르면서 바닷가로 가는 꿈이었다.

현실과 다른건 안소영이 나랑 같이 롤스로이스 뒷자석에 타있다는 것 뿐만이 아니였다. 사실대로 말하면 모든 것이 현실과는 달랐다는 말이 정확하겠지.

24

역주행 하는 트럭과

강렬하게 충돌한 롤스로이스

결국에는 강한 충돌을 이겨내지 못하고

자동차의 형태가 알수 없을 정도로

부서지는 것을 모자라

폭팔까지 나는 최악의 상황

부서진 문짝 밖으로 나온

형태조차 알아보지 못하는 안소영의 팔

피투성이가 된 채로 유일하게

살아남아서 미친듯이 울부짖는 나.

그리고

파자마를 입고

그 장면을 봐라보고 있는 현실의 나

25

이 모든 것을 봐라보면서 나는 무슨 생각을 하고 있는걸까? 너무나도 절망적이고 끔찍한 꿈이지만 이제는 아무런 감정도 느껴지지 않는다. 최근 몇 일간 내가 똑같은 패턴으로 반복해서 꾸고 있는 꿈이다.

아름다울 정도로

기품있고 도도한 검은색 천사가

늪과 같은 진흙탕에 빠져서

자신의 본 모습이 산산히 조각나게 될 것이라는 암시의 꿈인걸까?

36살인 지금도 그 꿈을 생각하면 그런 생각들밖에는 들지 않는다.

양다혜 8화

그날 밤은 비가 그치지 않는 날이였다.

하늘에 구멍이 난 것처럼

세상에 모든 비들이 쏟아지는 느낌이였다.

26

휴대전화에

그저 바뀌기만 하는

공허한 시간의 숫자들

모두 어디로 흘러가는지 모르는 시간들 사이에서
나는 그저 합정동 타워펠리스 거실 창문에서 잠이
깬 상태로 깜깜한 어두운 새벽 밤 창문 밖으로 내리
는 그치지 않는 비를 쳐다보기만 했다.

나는 냉장고에서 레몬 맛 펠리에 탄산수와 식기세
척기에서 유리컵을 꺼내 정수기에서 얼음을 넣어
그토록 오랜 시간이 지나도 마르지 않아보이는 눈
물과도 같은 비를 보면서 홀짝 홀짝 탄산수를 마셨
다.

3월초 겨울이 끝나고 마지막 추위와 비가 내리는
새벽밤에 안소영은 불이 꺼진 내 방 침대에서 알몸
으로 자고 있었고 어찌해도 내 자신은 잠이 오지 않
아 몇시인지도 모르는 어두운 새벽에 무슨 미련이
있는 것인지 아무런 용건 없는 핸드폰만을 봐라보
고 있다. 바보 같은 인간처럼.

27

정말 모든 것을 얻은 것 같은데

그녀를 내 품 안에 가진것 같은데

왜 지금

이 순간 모든 것을

다 잃을 것 같다는 불길한 예감이 든다.

마치 젠가에서 나무 조각을 하나라도 잘못 빼면 모든 탑이 무너져 버리는 그런 아슬아슬한 관계처럼 서커스에서 줄 하나에 온 몸을 맡기고 그저 걷기만 하는 광대처럼 조금이라도 어긋나면 모든 것이 박살날것 같아서 너무나도 두렵다.

고장난 로봇처럼

아무런 소리도 들리지 않는 에어팟처럼

이제는 기억조차 나지 않는

중학교때의 여자아이와의 첫 키스처럼

28

나도 그녀한테서 안소영한테도 서서히 점점 잊혀진 존재가 되지 않는지 그게 두렵다. 그런 생각들을 하면서 나는 거대한 거실 창문 아래 쇼파에서 잠이 들었다. 이대로 이 불길한 예감이 틀리기를 바라면서..

양다혜 9화

사랑은 확실히 이상하다.

분명히 모습도 형태도

냄새도 아무것도 없는데

이렇게 나를 삼켜 버리다니.

"훗.. 아.. 강민지.."

강민지는 분명 나를 잡아 먹으러 온 사람일거다. 처음 중학교때 만난 친구로 말까지 잘 통하고 둘 다 비슷한 보라색 머리의 색이였던 것도 마음에 들었다.

물론 나의 보라색 머리카락이

훨씬 더 진하지만 말이다.

29

그녀는 학생 신분인데도 술을 꽤나 좋아했는데 우리가 뜨거운 성관계를 할때에는 항상 술에 취해 있었다. 이상하다. 어디론가 끌려 다니는 것 같은데 어디론가 항상 무언가가 잘못 된것 같은데 전혀 이상한 감정 따위는 들지 않는다.

오히려 더 좋다.

초등학교를 바로 졸업하고 중학교 1학년이 된 우리들은 서로가 알몸이 되는 과정들은 아주 흔했다. 능숙하게 입을 맞추는 강민지의 모습은 나를 흥분시키기에는 충분했으니까.

고작 맨살끼리 닿았는데

우리는 서로가 흥분되어져 있었다.

"하.. 왜 이렇게 얇아..."

강민지가 손으로 부드럽게 내 음부를 만졌다. 온 몸의 감각이 예민해진다.

30

"강민지... 너...가 좋아서..."

나는 그 쾌락에 취해 말을 더듬더듬 거리면서 말한
다. 그녀는 내 목덜미에 입 맞추면서 손가락을 움직
이는 나의 귀를 살짝 깨물었다. 곧 이어 내 입에서
는 야릇한 신음소리가 터져나왔고 무언가 가득 차
오른 느낌이 들었다. 아마 이 느낌은 수백번을 체험
해도 이해하기가 어려울 것 같다.

"... 무릎 좀 세워봐."

강민지가 명령하듯이 말했다. 나는 그녀가 시키는
데로 왼쪽 무릎을 세웠다. 그러자 그녀는 내 다리
사이에 자기의 음부를 가져다 데더니 천천히 허리
를 움직이기 시작했다. 한번도 느껴보지 못한 감촉
이다. 미끌거리고 부드럽다.

그녀도 나 때문에 흥분해서 이렇게 젖어 있었구나.
이런 생각을 하니 머릿속이 새하애지지만 그래도
괜찮다. 우리들의 작은 비밀 같은 시간이니까.

"민지야.. 민지야.."

31

"왜?"

느낌도 소리도 전부 생소하고 이상하다. 그녀 역시 상당히 흥분한지 소리가 점점 거칠어진다. 시선을 위로 하니 그녀의 얼굴이 보인다. 자세히 보니 민지의 하얀 피부가 빨강색으로 물들여져 있다.

"소리가.. 소리가.."

"무슨 소리?"

"민지야. 소리가 너무 야해..."

그 말을 들어서 흥분이 된 민지는 내 목덜미를 이빨로 살짝 깨물었다. 그 자극조차도 너무나 흥분이 되어서 나는 아무 말도 하지 못했다. 평소에는 들리지 않았던 작은 숨소리나 그녀의 심장박동이 선명하게 뚜렷하게 지금 내 귀에 들린다.

점점 손가락도 깊게 들어온다.

아랫배를 살살 눌러오는 느낌조차도

지금 나한테는 상당한 쾌락이다.

32

나는 그저 그 쾌락에 몸을 맡기고 강민지의 어깨에 손을 올렸다. 의도치 않게 그녀의 등에 손톱 자국을 내고 말았다. 분명 자국이 남아서 아플텐데 그녀는 아무런 말을 하지 않는다. 상처를 남긴 벌을 주려고 하듯이 그녀는 내 목덜미와 가슴을 쎄게 깨물어 자신만의 흔적을 남긴다. 마치 어린아이가 엄마한테 떨어지기 싫어서 어리광을 부리듯이

"어때? 나 잘 하지?"

강민지가 웃으면서 밝은 보라색 긴 머리를 뒤로 넘기면서 말했다. 그 모습이 어찌나 매력적인걸까? 지금 생각해봐도 전혀 잊쳐지지 않는다. 그 순간 자극으로 나의 허벅지가 조금씩 떨리기 시작한다. 머리부터 발끝까지 쾌락이 이내 온 몸을 지배한다.

이제 더 이상은 참을수가 없다.

우리 둘은 그저 쾌락에 몸을 맡겨 서로의 보라색 천사들끼리의 진흙탕으로 떨어지는 것에만 집중할 뿐이였다. 지금 당장 그 외에는 전혀 눈에 보이지 않으니까 말이다.

33

양다혜 10화

나와의 격렬한 성관계가 끝난 다음에 그녀는 실옷 하나 걸치지 않은 알몸으로 부엌 정수기에서 물을 마셨다.

"나 어땠어? 강민지?"

나는 침대에서 일어나 검은색 욕실 가운을 입고 짧은 보라색 머리카락을 만지면서 말했다. 차가운 물을 마신 그녀는 잠시 고민하더니 나의 머리카락을 쓰담아주었다.

"좋았어. 너랑 같이 있는 것 자체가."

나는 흔하디 흔한 대답 대신 그녀를 꽉 껴안았다. 100마디의 따뜻한 말보다는 내가 그녀를 사랑한다는 것을 확실하게 보여주기 위해서

"꽤나 로맨틱하네. 양다혜."

강민지는 나의 보라색 눈동자를 쳐다보면서 말했다. 그녀는 내 미소를 보더니 갑자기 나한테 가볍게 키스를 했다. 입술만 살짝 들어가는 가벼운 키스였다.

34

그 입맞춤 뒤에 오는 말은 꽤나 낭만적이었다.

"다혜야."

"응."

"항상 나랑 같이 있자."

그 순간 심장이 큰 소리를 내면서 쿵쾅거렸다. 진심일까? 저 여자아이도 단순히 나를 거쳐간 수많은 인연으로 끝날까? 그런 생각이 들었다. 저 여자아이는 분명히 나를 만나기 전까지는 이성애자의 인생을 살아왔으니까.. 나를 위로하기 위해서 한 말이라는 생각이 들었다.분명 그렇게 들려야 하는데 분명 저 말은 사탕발린 위로가 뻔할것 같은데..

하지만 나한테는 그 사탕 발린 가식적인 위로조차도 정말 간절해서.

"항상 내 애인으로 있어줘."

그녀가 당부하듯이 나한테 말했다. 내가 우물쭈물거리자 그녀는 나의 두 손을 꼭 잡고 말했다.

35

"알겠어. 양다혜?"

"응. 알겠어.."

나는 그 대답에 가까스로 답했다. 내 자신조차도 그녀와 같이 할수 있을 것이라는 흔해 빠진 해피엔딩 같은 생각조차도 아직은 하지 못했으니까.

그 흔해빠진 대답을 듣고 나자 강민지는 나를 꼭 안아주었다.

"더 하고 싶은데.. 시간이 너무 늦었어.."

그녀의 어깨 넘어로 시계를 보니 꽤 늦은 시간이였다. 이제는 슬슬 자야 하는 시간이다. 평소 잠을 못 자서 걱정이였는데 이제는 푹 잘 수 있을 것 같다.

"이제 그만 자자."

우리는 침대에서 서로 알몸인 상태로 서로를 마주 보고 껴안았다. 나는 강민지의 가슴팍에 귀를 가져다 대었다. 맨 살 너머로 내가 알지 못하는 미지의 세계가 열린 것 같이 고요하지만 거슬리지 않는 심장박동이 들렸다.

36

순간

갑자기 빨라지는 그녀의

심장 박동 소리에 놀라 귀를 뗐다.

그리고 내 눈은 졸려운지

서서히 감기기 시작했다.

나는 속절없이 그 곳으로 빨려 들어갔다.

양다혜 11화

"이상하게 너가 좋아."

겨울이 점점 추워지고 모든 것이 얼어붙으려고 하는 10월 초 평소 양아치들이 담배를 피고 음식물 쓰레기를 버리는 뒷 골목에서 강민지는 꾸며내지 않은 고백을 나한테 갑작스럽게 했다. 무드도 낭만도 화려함도 없고 썩어가는 음식물 쓰레기 냄새와 기분 나쁜 담배 꽁초들 사이에서 재벌 2세에 남 부러울 것 없는 나한테 양아치에 평생을 이성애자로 살아온 그녀가 고백을 하는게 꽤나 웃겼다.

"남이 용기 내서 고백을 하는데 웃어?"

강민지는 하얀색 데상프 롱 페딩을 입은 체로 길고 밝은 보라색 머리카락을 고무줄로 묶으면서 말했다.

강민지는 통명스러운 말투로 말하고 있었지만 정작 그녀의 얼굴은 조금 빨강색으로 물들어져 있었다. 이제 알겠다. 그녀는 나를 진심으로 좋아했던 것이구나. 초등학교때부터 중학교 1학년인 지금 이 순간까지도 소중하게 그 마음을 품고 나한테 고백한 것이였구나. 그런 속 사정을 아니 내 마음 속 어딘가가 갑자기 미친듯이 아려왔다. 마치 초등학교 6학년때 수영장에서 있었던 기억처럼 심장에 금이 가는 소리가 선명하게 들린다.

근데 이상하게도 그때와 다르게 도망치고 싶다는 생각은 전혀 들지 않는다. 아니 그 반대이다. 그 감정과 다시 만났지만 도망치고 싶지 않다. 6학년때 심장에 통증이 가면서 눈 앞에 불꽃이 보였고 그 불꽃 안에 무언가 때문에 두려움에 떨어서 도망쳤다면 지금은 그 불꽃 안에 있는 무언가와 정면으로 대면하고 싶다. 정면으로 대면해서 두려움을 극복하고 싶다.

38

이기고 싶다는 마음이 그 미지의 존재에 대한 두려움보다 더 강하니까. 그녀가 안절부절 못하고 있는 나한테 안겼다. 만약 이 소설의 장르가 로멘스였다면 나도 그녀도 행복하게 사랑에 빠져들수 있었겠지.과연 나는 안식처를 찾을수 있을까?

양다혜 12화

그건 정말 우연이였다. 애당초부터 전혀 관심조차 없었기도 했다. 아침부터 줄기차게 내리는 비사이로 나는 다른 학생들이 입는 흔하디 흔한 교복 대신 화려한 용이 그려진 스카잔 자켓을 입고밝고 긴 보라색 머리를 묶은 다음에 다른 일진 여자아이들과 그저 수업일수를 때우기 위해서 학교로 갔다.

"야? 강민지! 너 옷 차림이 뭐냐?"

늘 언제나 똑같은 소리를 듣는다.

단지 교사 시험에 합격했다는 이유 단 하나만으로 학생을 선도한다는 시덥잖은 이유 하나만으로 선생이라는 작자들은 내 옷 차림과 내가 살아가는 방식 나의 철학 같은 것들을 내가 중요시 여기는 것들을 밟고 뭉게버리고 침까지 뱉어버린다.

그리고 내가 거기에 저항하려고 하면 그들은 나한
테 나쁜 학생 딱지를 붙치고 다른 학생들한테 강제
로 색 안경을 끼운다.

"저 학생은 나쁜 학생이야."

"저 학생은 낙오자야."

이런 식으로 인간들은 자기와 다른 방식으로 우리
들을 낙인찍는다. 우리가 위험하다고 우리가 악마
라고 그리고 가장 나한테 비수처럼 오는 말이 하나
가 있었는데 "너는 구제불능이다." 이 한 마디가
나한테 심장에 칼날이 박힌 것처럼 지금까지도 상
처로 남아있다.

난 "더 글로리"에 나오는 일진 여자아이처럼 자
신의 눈에 만만해 보이는 애들을 고데기로 지진적
도 누군가의 돈을 뺏지도 단체로 학교 폭력을 저지
르고 이런 대우를 받는 것이라면 억울하지라도 않
다고 생각했을거다.

40

사회는 이상하다. 고위층의 불행에는 높은 등수를 매겨서 TV 나와서 눈물 몇 방울만 흘리면 뇌물을 받은 보수정당 첫 여성 원내대표도 단지 다운증후군 증상의 딸아이를 가지고 있다는 이유 하나만으로 그녀가 아들을 높은 곳으로 올라가기 위해 모든 수단을 쓰고 국회의원이 명백하게 지키고 수호해야 하는 헌법을 무시하고 자신의 이익과 특권을 위해서 살았음에도 불과하고 정작 청문회장에서는 내가 더 정의로운 척 내가 나라를 위해 얼마나 헌신했다고 울분을 토해도 그게 분명히 위선이고 거짓임을 알아도 사람들은 언제나 박수와 환호를 보낸다.

유감스럽게도

나는 그 자리에 올라갈 능력도 힘도 존재하지 않는다. 그저 시간만이 악의를 가지고 내 주위를 흘러갈 뿐이다. 그리고 그것들은 아무렇지 않게 내뱉는다.

너는 결코 아무 것도 못할거라고

너는 결국 실패작이 될거라고

그런 식으로 이야기들을 하나 둘 씩 꺼내다 보면 어느새 그 이야기들이 거대한 홍수처럼 나를 집어 삼켜버린다.

41

그날은 6월 초순의 화요일로 시간은 아침 10시에 가까웠다. 나는 잠깐 아침에 학교에 출석했다가 무슨 바람이 분건지 5분만에 교실을 나와 이 곳 공원 정자에 앉았다. 스마트폰의 뉴스에서는 서울 지역에 평년보다 장마가 늦게 시작 된다는 이야기가 뉴스 헤드라인을 장식했다.

"장마라.. 당분간 학교에 가지 말아야 겠다.."

내가 생각해도 어이가 없는 대사이다. 평소에도 학교에 잘 가지 않았는데 장마라고 해서 학교에 가지 않는다는 것 자체도 꽤나 웃긴 말이다. 아무튼 당분간 학교에 갈 생각은 전혀 없다. 앞으로 당분간 비오는 날들이 계속 된다. 공원에 자주 들릴수가 있게 되었다는 생각이 들면서 입구를 통과했다. 이 공원은 꽤나 유서가 깊다던데 더 많은 시간을 같이 할수 있어서 상당히 기쁘다.

숲 오솔길을 빠르게 통과해 연못에 걸린 다리를 건너 좋아하는 정자에 다가갔다. 평소 앉던 정자에 몸을 맡길 생각이였는데..

나는 멈춰섰다. 한 여자가 그곳에서 맥주를 마시고 있었기 때문이다.

42

나하고 똑같은 긴 보라색 머리카락을 가지고 있었지만 머리카락의 색은 조금 더 진하다. 나이를 알아 맞추는 것은 조금 자신은 없지만 아마 20살에서 21살 정도의 여자아이로 보인다. 짙은 리바이스 청바지에 밝은 색 올세인트 데님 셔츠에 무지개 무늬가 달린 하얀색 리바이스 청자켓을 입고 있었다.

막 빨아서 입었는지 향긋한 섬유 유연제 냄새가 난다. 마치 요즘 유튜브에서 유행하고 있는 아이퐁이라는 가수처럼 보인다.

　"멋있네."

겉으로는 그렇게 내색하지는 않았지만 속으로는 그렇게 생각했다. 아마 그렇게 생각했다고 그녀의 귀에는 전혀 들리지 않겠지만 그렇게 생각하고 있던 와중에 그 여자가.. 문득 내 쪽을 봐라봤다. 아차.. 라는 기분이었다. 순간 내 자신조차도 어색한 기분이 들었고 솔직히 말하면 조금은 당황스러웠다.

그렇다고 해서 자리를 옮기지는 않을 것이다. 그러면 내 자신이 그 여자한테 숙였다는 생각이 들태니까 그 여자는 그런 나한테 관심조차 없다는 듯이 맥주를 계속 마실 뿐이었다.

43

나는 다리를 꼬고 아무런 생각조차 하지 않은 채 그저 눈 앞에서 비가 내리는 관경을 지켜보았다.

왜내 자신이 단지 저 여자를 봐라보기만 했는데 신경이 쓰이는 것일까?

이래서야 답답한 학교에서 있는 것과 전혀 다르지 않잖아. 눈을 감고 잠을 잘수도 없다. 눈 앞의 풍경을 하나 하나 가만히 응시하고 있을 뿐이다.

그런데 잘 보니

여기서 보는 풍경이 그다지 나쁘지 않다.

아니

아름답다.

비가 온다고 해도 엷은 구름에서 가느다란 비가 쏟아지기만 하는 것이라서 구름 너머로 태양의 기척이 느껴진다. 얇은 빗줄기가 지상의 안개처럼 서리고 거기에 빛이 고인 느낌이다. 흐릿한 빛이 대기의 움직임에 따라 천천히 흐르는 모습이 보일것 같다.

44

하늘의 빛이 물 웅덩이에 반사된다.

잎이 울창하게 달려 무거워 보이는

단풍나무 가지가 물기를 머금고

천천히 흔들린다.

그래 처음 왔을때도 이 단풍나무는

훌륭하다고 생각했었지.

좋은 나무이다.

나는 가방에서 노트를 꺼내 흔들리는 단풍나무 가지를 연필로 가볍게 스케치 했다. 휴대전화로 사진을 찍어서 기록하는 것보다 낫다. 그 순간까지 그 감성까지 기록할수 있는 것 같아서. 단풍나무도 흔들렸지만 여자가 꼰 발도 시야 끝트머리에서 대롱대롱 흔들렸다. 문득 흥미가 생겼다.

관리가 잘 된 신발을 신고 있다.

뚫어져라 보지 않아도 잘 알고 있다. 하얀색의 가까운 크림색 반스 신발이다. 좋은 물건이고 손질이 잘 되어져있다. 형태가 살아있다는 말이 정확하겠지.

45

빗속을 걸어왔음에도 불과하고 흙탕물이 거의 묻지 않았다. 평소 신발과 패션에 관심이 많았다는 증거이다. 정말 잘 관리한 습관은 그리 쉽게 사라지지 않는다.

그 모습에 매력이 느껴지지 않는다면 새빨간 거짓말일것이다. 내 손은 어느새 그 여자아이의 신발 쪽으로 향해져 있었다. 반스 특유의 러프한 느낌과 하얀색 캠버스 같은 재질에 빨강색 선이 그어져 있는 사용감이 있어보이지만 그래도 상태는 우수한 그런 신발이다. 거기까지 스케치 한 다음에 조금 부족하게 느껴져서 단풍나무 잎을 스케치 해본다. 반스와 우아한 단풍나무라니 왠지 안 어울릴 것 같으면서도 잘 어울리는 조합이다. 아무 생각 없이 그리기만 했지만 바로 무아지경으로 빠져든다.

어느 순간 단풍나무를 투과한 초록색 빛이 노트를 비추기 시작했다. 비가 그친 것 같다. 고개를 들자 물기를 먹은 단풍나무가 햇빛을 받으면서 옅은 초록색 빛을 띄고 있다. 모든 것이 아름답고 완벽하다.

나는 그 광경을

46

연필로 그려서 남기고 있었다. 그림 실력이 부족해서 그런지 잘 되지는 않는다. 빛을 그리는 것은 정말 어렵다. 그래도 도전해 보고 싶다는 마음으로 계속 그리기에 몰두했다.

"아..."

너무 조급한 마음이였던걸까? 내 손에 들고 있던 지우개가 떨어졌다. 지면에 한 번 튕긴 지우개를 그 여자가 잡는다.

"여기."

여자가 가볍게 일어나 손을 내민다.

"아... 죄송합니다..."

나는 어색하게 일어나 지우개를 잡는다. 그리고 그 여자는 원래 있었던 자리로 다시 갔고 나도 뒤늦게 본래 자리로 돌아간다. 또 말이 없는 시간들이 이어진다. 고개를 숙이고 노트의 흰 면을 보면서 나는 생각했다. 아니 마음에 걸린다는 표정이 더욱더 적절하겠지. 저 사람이 누군지는 아는데 기억이 나지 않는 거지 같은 상황 말이다. 그 불쾌한 감정이 내 마음 속에서 스물스물 올라온다.

47

지우개를 받았을때 그 여자의 얼굴을 봤기 때문이다. 하지만 지금 생각해보니 그것 때문이라고 단정 짓기에는 그 감정이 이미 상당히 오래 전부터 생겼다는 걸 알게 되었다. 제기랄.. 이런 느낌은 정말 싫다.

나는 반사적으로 말을 걸었다.

"저기요..."

"네?"

여자가 고개를 들었다.

"어디선가 본 것 같아서요."

"응? 아닌걸?"

"아 미안해요. 사람을 잘못 본 것 같네요."

"괜찮아."

영어 회화책에서나 나올 법한 대화가 끝나고 그저 침묵만이 이어졌다. 후회는 바로 찾아왔다. 생각도 없이 말을 걸었다. 바보 같은 짓이었다. 라는 말이 내 마음 속에서 빙빙 돌기 시작했다.

48

이래서야 내가 마치 아는 척 한 것 같잖아.

역시 남이 앉아있는 자리에는 앉아 있는 건 아니였어. 나는 수치심을 느끼면서 노트에 거칠게 여연필로 그림을 그리기 시작했다.

연필이 미끄러진 소리가 정적 사이에 거칠게 들려온다. 조금 떨어진 곳에서는 입맛을 다시는 소리와 함께 맥주를 마시는 소리가 들린다. 먼 하늘에서는 천둥소리가 어렴풋이 들리고 바람에 흔들리는 단풍나무 가지에서는 일제히 물방울이 떨어지는 소리가 들린다. 문득 옆에서 무언가 정체 모를 압박이 느껴진다.

여자가 빈 캔을 벤치에 놓는 소리가 들렸다. 그리고 몸을 내밀고 이쪽을 보는 기척과 느낌이 들었다.

"...본 적이 있을지도?"

"네?"

나는 고개를 들었다. 그 여자의 얼굴은 역광으로 실루엣만 남아 어떤 표정을 지었는지 모르겠다.

49

"... 우랫소리 희미하고.."

벤치에 기대어 놓았던 우산을 들고 그녀가 말한다.

"구름이 끼고 비라도 내리면.."

밝은 보라색 우산이 펼쳐진다.

"그대 붙잡을련만.."

여자는 그렇게 말하고 걸어갔다. 보폭이 크고 시원
시원한 걸음이었다. 우산을 쓴 뒷 모습은 보지 않았
다. 멀리서 작은 번개가 용처럼 춤추는 것이 보였
다. 여자의 모습이 완전히 사라지자 나는 그제서야
안도의 한숨을 쉬었다.

뭐야. 저건 의미심장하고 꺼림직하다. 하지만 꽤시
간이 흐른 다음에 생각했던 것인데 저 여자는 꽤나
미인이 아니었을까? 내 입으로 말하기는 한심하지
만 나는 그런 것 따위에는 관심이 없다. 아마도 내
인생이 시궁창이니 더더욱 그런 것일수도. 뭐. 설령
관심이 있다고 해도 나는 처음 만난 여자의 휴대폰
번호나 메일 주소를 묻는 그런 타입의 사람은 아니
니까.. 그래도 그 시의 내용은 꽤나 궁금했다.

50

아마 우리나라 시는 아니였던 것 같은데.

기억나지는 않지만 조금 특이한 여자다.

그것이 좋은 쪽이든 나쁜 쪽이든 간에

어찌되었든 그것이 비오는 날의 정체도 모르는 우
녀와의 첫 만남이었다.

양다혜 13화

다음날 아침 눈을 뜨자마자 하늘이 무겁고 축축한
걸 느꼈다. 휴대전화에 알림소리가 울리자 나나는
그것을 잡아서 껐다. 눈을 뜨자 얇은 커튼 사이로
창을 통해 바깥 빛이 들어오기 시작했다. 그 빛이
약간 하얀 것을 보면서 일어났다.

나는 신나는 목소리로 말했다. 어쩌면 내 자신은 전
생에 학교 가는 것이 싫어서 핑개 거리만 삼던 사람
일지도 모른다. 비 오는 날에는 학교에 가지 않아도
된다. 내가 생각해도 정말 황당한 규칙이다. 원래
학교 따위에는 거의 가지 않았기 때문이다. 비오는
날에는 학교 따위는 가지 않아도 된다는 말은 없지
만 그렇게 믿어버리면 된다. 어차피 세상은 보고 싶
은 방식대로 보면 되니까.

51

들뜬 기분으로 아스팔트 위에 생긴 작은 물 웅덩이를 밟는다. 잿빛 하늘 아래의 서울의 각자의 색이 담긴 우산을 들고 다니는 사람 사이를 보니 어제 다큐멘터리에서나 봤던 열대 바다의 해파리들 같다. 아마 해파리와 가까운 기준을 따지자면 투명 우산을 쓴 내가 가장 해파리에 가깝겠지.

그 생각이 뭐가 웃긴지 무의식적으로 웃음이 터져 나왔다. 뭐 원래 나는 그런 년이니까.해파리의 정의를 다룬 해양사전에서 보니 해파리는 무리를 짓지 않는다는 말이 떠올랐다. 나는 무리가 있기는 하지만 어딘가에 소속되어있다는 느낌은 들지 않는다.

예전에 봤던 조폭 영화에서 판사인지 검사인지 검찰에서 나온 사람이 조직의 대부를 취조하면서 건달도 아니고 민간인도 아닌 너를 뭐라고 불러야 할지를 모르겠다고 하면서 반달이라는 단어로 그를 불렀던 기억이 난다. 그 대사를 날리면서 그 검찰 출신의 덩치 있는 남자는 서류 파일로 조직의 대부의 머리를 치는 장면도 기억이 난다. 그게 이 영화에서 제일 인상깊었던 장면이니까. 그리고 꽤 오래 전에 봤던 영화라서 정확히는 기억이 안 날텐데 아마 마틴 스콜세이지가 만든 작품인 "택시 드라이버"에 나오는 주인공 정확히는 젊은 시절의 로버트 드 니오가 뉴욕에 밤 거리에서 영업을 하는 택시 운전자로 나오는데 그 사람이 비뚤어진 영웅이 되어가는 과정도 떠올랐다.

52

당시에는 그 과정이 그저 정신망상증에 걸린 한 불쌍하고 안타까운 환자로 느껴졌다면 지금은 조금 다르게 느껴진다. 아마 저 주인공의 모습은 내가 사전에 본 해파리처럼 짓지 않고 사회에 흡수 되어서 살고 싶었지만 결국 그것이 실패하고 먹혀들어가지 않자 사회에서 떨어져 나가고 풍파에 스스로 먹혀 괴물이 된거니까.

아마 우리 모두 그런 면들을 가지고 있겠지. 그래도 살아가야 한다. 앞으로 나아가야 한다는 것은 달라지지 않을것이다. 괴물한테 먹히지 않으려면 자기 자신을 항상 돌아봐야 하니까.

게이트를 통과해서 공원에 도착했다.

비에 젖어 흐린 하늘빛을 반사하는 돌바닥에
내가 커스텀한 나이키 에어포스 운동화가 올라간다.

자갈길에 생긴 물 웅덩이를 건넌다.타일로 포장한 산책길에 비가 내린다.이런 사소한 것들이 내가 살아가는 이유이다.

전에는 몰랐전 비오는 날에

53

비오는 날만의 감성이 있다는 것을 나는 이제야 깨달았다.

그렇게 평소에 은신처에 정확히는 공원 변두리에정자에 도착했을때 나는 조금 놀랐다.

몇일 전에 긴 보라색 머리 대신 메종 마르지엘라에서나 볼법한 짧은 단발머리를 하고 나를 봐라보고 있었다. 폴로 랄프로렌의 파란색 스트라이프 드레스 셔츠에 밝은 갈색의 치노펜츠 그리고 여름에나 입는 하얀색 지방시 스트라이프 시어서커 블레이저 그리고 밝은 보라색 우산에 검은색 디올백 마치 사무직 여성 같아 보이지만 그 옷에어울리지 않는 하얀색 편의점 봉지와 그녀에 손에 들고 있는 버드와이저 맥주캔.

얼마 전에 본 미스터리한 여성이다.

"안녕."

여자가 숲에 부는 바람 같은 목소리로 나한테 반갑게 인사를 건냈다. 조금 어린아이 같지만 좋은 목소리이다. 나는 밝은 목소리로 안녕하세요. 라고 화답해서 인사한 다음에 같은 벤치에 조금 떨어진 위치에 앉았다. 지난번에 만났던 사람을 또 다시 만나서 기쁘다.

거기다가 상대도 나를 기억하다니 표현할수는 없지만 상당히 기분이 좋다. 아마 그 여자한테는 직접적으로 표현하지 않아서 모를거지만. 몇 일전에 들려주었던 시에 대해서는 조금 궁금하기는 했지만 딱히 쓸모가 없을 것 같아서 묻지 않으려고 한다. 그리고 그 내용에 대해서 상대가 기억을 못하고 그게 무슨 내용이었나요? 같은 이야기를 하면 더더욱 골치가 아프니까. 게다가 이여자는 왠지 친절하고 예쁘지만 다가가기에는 왠지 거리감이 느껴지는 것도 있으니까.

나는 학교라는 곳을 피해서 혼자 이 곳에서 여유를 즐기고 싶고 그러기 위해서는 이 여자와 엮기는 대신 지나가는 엑스트라 정도로 남는 것이 더욱더 평온하니까 빗속에서 발이 미끄러지지 않도록 조심하며 걷느냐 뒷꿈치가 살짝 아프다.

나는 발을 아무렇게나 뻗고 그저 아무 것도 하지 않고 풍경만을 바라보았다. 정자 지붕에서 떨어지는 낙숫물의 리듬을 별 생각 없이 듣는다. 큰 물방울이 연주하는 단조로운 소리가 기분 좋았다. 잠시 그렇게 풍경과 소리를 즐긴 후에 가방에서 부스럭 부스럭 노트를 꺼내 낙서를 하기 시작했다. 아무것도 그릴 수가 없다. 그래서 나는 이 노트를 낙서 노트라고 정의하기로 했다.

55

그리는 것은 내 상상력에서 나오는 간단한 스케치이다. 아직 이 세상 어디에서도 볼수 없는 나만의 세계들을 그리는 것은 언제나 즐겁다.

연필이 막힘없이 들어간다.

지금 이 순간이 너무나도 즐겁다.

원래 집단의 일원이라고 억지로 틀에 맞추려고 했던 나로 변했을때 내 자신은 더욱더 자유롭다. 마치 바다를 혼자서 항해하는 해파리처럼 말이다. 그런 면들이 너무나도 강하면 안 되겠지만 가끔씩은 소소한 일탈을 하는 것도 괜찮겠지. 라는 생각으로 시간의 흐름을 잊은채 그저 그림만을 그릴 뿐이다.

한참을 스케치를 하다가 연필을 멈추고 문뜩 현실로 돌아왔다. 휘갈겨 그린 노트의 스케치를 자세히 바라본다. 내가 생각해도 무엇을 그리려고 했는지 알수가 없다. 당연하다면 당연한 것이겠지만 목적없이 흔들리는 정체성으로 나아가는 스케치나 인생은 그저 흐지부지 되는 것이 세상의 이치니까.

그런 생각들을 하다보니

56

빗줄기가 점점 희미해지기 시작했다. 잡 생각들을 하나보면 언제나 그렇듯이 시간은 빨리 가니까. 다시 연필을 잡아 그림을 그리려고 하는 순간 연필이 딱 멈추었다. 아무 것도 나오지 않는다. 나는 엄지에 이마를 대고 흰 노트를 봐라보면서 무엇을 그릴지 생각을 해보았지만 아무 것도 생각이 나지 않았다. 무엇을 그릴지 아무 것도 생각을 하지 않았으니 당연한 일인건가... 그래서 나는 다른 그림을 그릴 주제를 상상해보았지만 아무 것도 떠오르지 않는다. 지금 내 머릿속은 그저 침묵과 고요함만이 지배하고 있어서 그런 것 같다. 그때 옆에서 맥주 캔을 따는 소리가 경쾌하게 들려왔다.

"이 사람 도대체 얼마나 마시려고 하는 거야?"

나는 무의식적으로 그렇게 생각했다. 케주얼한 파란색 리바이스 청바지를 입은 여자는 빨강색 컨버스 하이 신발을 의자 위에 올려놓고 맥주를 마셨다. 여전히 그 여자는 상태가 좋은 운동화를 신고 있었다. 갑자기 그 운동화를 보자 아이디어가 떠올랐다. 나는 남 몰래 여자의 발과 운동화를 곁눈질 해가면서 그리기 시작했다. 이런 행동은 옳바르지 못하다고 비판받겠지만 지금은 그런 것 따위는 신경 쓰고 싶지 않다.

57

"저기."

그때 옆에서 그 여자가 속삭이는 소리가 들려왔다. 날 향한 목소리라는 걸 알고 나는 태연하게 노트를 접고 그 여자 쪽을 보았다.

그 여자는 몸을 조금 앞으로 내밀고 놀리는 듯한 말투로 말했다.

"학교는 안 가니?"

나는 퉁명스럽게 말했다.

"회사는 안 가요?"

여자는 가슴을 흔들면서 웃었다.

"또 땡땡이 쳤지."

아하. 나랑 같은 분류의 사람이다. 이제야 대화하기가 좀 편해진다. 나도 웃으면서 말했다.

"그리고 아침부터 공원에서 맥주를 마시고 있고요."

"그래."

58

나와 그 여자는 몇 초 동안 얼굴을 맞대고 어린아이처럼 웃었다. 공감과 같은 무언가가 상대방과 나한테 서로 오갔다.

"하지만 술만 마시면 몸에 안 좋아요. 안주도 같이 먹어야죠."

"그런가?"

내가 고등학생인걸 눈치를 챘는지 아니면 그냥 장난치려고 그런건지는 잘 모르겠지만 그 여자는 "학생인것 같은데 술을 마시는데 흥미가 있네." 같은 얼굴로 나를 쳐다봤다.

"어차피 사람들한테는 다들 조금씩 이상한 면이 있잖아요."

나는 웃으면서 말했다. 그 여자는 조금 의기양양하게 웃고 편의점 봉지에서 어느 브랜드인지 모르는 맥주를 꺼내서 나한테 권했다.

"안주라도 먹는게 좋지 않을까요?"

그러자 그 여자는 검은색 디올 백에 손을 넣고 안을 뒤졌다.

"여기 안주."

59

그리고 여자가 꺼낸 건 양손에 흘러 넘칠 정도로 가득한 초콜릿이었다.

"신기하네요. 안주 습관이."

어떤 페이스로 먹는지는 내가 잘 모르겠지만 이 여자라면 하루 종일 맥주와 초콜릿만 먹는 것 같아서 조금은 걱정이 된다. 정작 나는 남 걱정할 처지는 못 되지만 말이다. 그렇게 생각하면 이상한 여자라는 말이 저절로 나오지만 나는 그런 말을 하는 것도 그런 기색조차 보이는 것은 상당히무례하다고 생각해서 아무런 표정도 짓지 않고 그저 맥주만을 홀짝거릴뿐이었다.

"나 이상한 것 같지?"

그 여자가 맥주를 마시면서 혼자 중얼거리듯이 말한다. 많은 생각이 들었다. 분명 그 여자는 이상한 여자가 맞을 것이다. 확실하게 부정할수도 없을 정도로 하지만 그 말에 무게가 달려 그저 아무 말조차도 할수 없다. 어째서 그 말 한 마디에 나는 눈물이 나오는 걸까? 정말 인간이란 이상한존재이다. 눈물이 말라 버린 것 같은데 이렇게 갑작스럽게 눈물이 터지니까. 어째서 나는 이런 제멋대로인 여자를 진심으로 사랑하게 된걸까?

60

양다혜 14화

나는 아주 특수한 상황이 아니라면 욕을 최대한 안 쓰려고 한다. 이렇게 양아치처럼 생겼다고 해도 언어가 그 사람의 품격을 만든다고 생각하기 때문이다. 하지만 지금 같은 상황에서는 욕이 안 나올수가 없었다.

"좃 됐네.."

그녀의 집 침대에서 나와 그 여자가 알몸인 상태로 누어있으니 말이다. 아놔... 나 왜 이러는 걸까.. 분명 공원에서 알콜의 기운 때문인지 아니면 내가 그 여자가 중얼거린 말에 감성적으로 반응해서 그런건지는 모르겠지만 그 정체를 모르는 여자는 내가 눈물을 흘리는 행동에 감동을 받아 나를 꼭 안아주었다는 것만이 기억이 난다.

그 뒤에 자기 집에서 같이 필름이 끊어질때까지 술을 마신 것과 내 개인적인 이야기를 털어 놓은 것과 술 기운에 같이 알몸으로 성관계를 한 것도 전부다 기억이 난다.

분명 내가 그 여자를 사랑하는 마음이 조금이라도 없었더라면 할수가 없었던 행동들이었다.

61

그것도 여자들끼리의 성관계라니 왠지 넘으면 안 되는 선을 넘은 것 같아서 오묘한 기분이 든다.

모든 것이 적나라하게 다 알려진 느낌이지만 물론 실제로도 술에 취해서 별 별 이야기를 다 했고 심지어 알몸으로 성관계까지 했으니 그래도 내가 그녀한테 어제 공원에서 술 기운에 혼자 중얼거린 나 이상한 것 같지 않아? 때문에 사랑에 빠졌다는 건 더더욱 알려지고 싶지 않았다.

그렇게 된다면 내가 우위에 서서 그녀를 하찮게 동정을 한 것이 되어 버리기 때문이다. 같잖은 우월의식이나 느끼면서 말이다. 그런건 나는 정말 경멸한다. 이미 내가 그런 같잖은 일에 많이 시달리고 있기 때문이다.

축축한 7월 초순의 덥고 무거운 공기가 커튼 사이로 열린 창문에 들어 온다. 곧 이어 비가 내리기 시작한다. 마치 우리들이라고 하기에는 그렇지만 이제는 우리들이라고 정의해도 좋은 그런 관계가 시작되는 것을 알리듯이 벌써 시간이 그렇게 흘렀구나. 다시는 되돌아 갈수 없는 루비온 강을 건넌것처럼 내 마음이 먹먹했지만 또 다른 새로운 길이 열린 것 같아서 왠지 기대가 되기도 하다.

62

사실 세상은 안 바뀐것처럼 같아보여도 우리가 어떻게 하느냐에 따라서 달라지기도 하니까 말이다. 나는 자고 있는 그녀의 짧은 머리카락을 만지면서 그런 생각을 했다.

양다혜 15화

"넌 절대 사랑 받을수 없어."

"이제 넌 질렸어."

"아무 것도 이룰수 없는 아이야."

어두운 꿈 속 안에서 형태도 냄새도 아무것도 보이지 않는 악마각 나의 목을 조르면서 말했다. 이제 이런 꿈에는 적응이 되어서 더 이상 감각이 없다. 애석하고 슬픈 일이지만 말이다. 분명 나는 지금 내 집에 있는 나와 똑같이 생긴 보라색 머리카락을 가진 여자아이에 대해서 알고있다. 그녀의 이름도 그녀가 학교에서 받고 있는 나쁜 평판도 주위 사람들의 시선도 전부다 알고 있다. 그러나 이제 그런 것 따위는 신경쓰고 싶지 않다. 아니 이미 무의미해졌다는게 적절한 단어겠지.

63

강민지는 내가 알던 사람보다 더 따뜻하고 더 다정한 사람이니까. 상대방이 슬퍼할때 울어주고 상대방이 화낼때 같이 화내주는 그런 사람이니까. 어제 내가 혼자 외로움을 나타냈을때 그녀가 보인 반응은 의외였다.

그녀는 생각보다 따뜻했고

그녀는 생각보다 다정했고

그녀는 생각보다 사람의 이야기를 잘 들어주는 그런 아이이다. 그런 아이라면 나도 그런 따스한 온기에 어떻게서든지 기생해서 호의만을 받을수있을까? 같은 이기적인 생각이 들었다. 원래 인간은 조금씩 이상한 면들이 있는 법이니 말이다.누군가의 마음이 되는 대신에 타인의 호의를 그저 받기만 한다는건 나한테는 별로 끌리지 않고 죄책감이 드는 선택지지만 이제는 그 죄책감조차 신경 쓰지 못할 정도로 나는 망가져버렸다.

지금 내가 누리고 있는 혜택과 사랑이 내 모습이 바뀐다면 모든 것이 물거품처럼 사라질것 같다는 두려움이 내 온 몸을 지배한다. 마치 지금 내 상태는 인형극에서 인형사가 보이지 않는 투명한 줄로 조종하는 것과 같은 상태니까.

64

그래야

사람들한테 욕을 먹지 않고

착한 아이가 되니까.

그렇지 않는다면 닥칠 결과는 나도 모두도 다 알고 있으니까. 어쩌면 어쩌면 지금 내 집에서 알몸으로 정수기에서 물을 마시고 있는 아이가 나를 악간 움직이게 해줄 용기를 줄지도 모른다. 그런 기적과도 같은 용기를 준다면 나도 조금은 그 아이와 같이 손을 잡고 같은 풍경을 봐라보고 있을까?

아마 나도 그녀도 어떻게 될지는 잘 모르겠다. 아마 잘 안되고 흐지무지 진흙탕 투성이로 끝난다고 해도 그래도 앞으로 나아가야 한다. 그래야 할 의무가 있다고 말하는 것이 더욱더 적절한 단어겠지.

그래서 조금은 기다려보려고 한다.

이기적이지만 강민지가

내 손을 잡아줄것이라는 생각을 하면서

65

양다혜 16화

엄마가 식사라도 하자고 문자라도 보낸건 내가 정체를 모르는 보라색 여자아이와 잠을 잔 그 다음날이였다. 그 날은 아침부터 날이 흐렸는데 딱히 공원에도 학교에도 나갈 이유도 마음도 없어서 근처 스타벅스에서 5000원 아이스 아메리카노로 시간을 때웠다. 마치 카공족들처럼 말이다.

그후 그림 선생님 알바를 하러 갔다가 엄마의 그 문자를 받았다. 알바가 끝난 다음이면 괜찮다고 문자를 보냈다. 원래는 이혼한 아버지한테도 문자가 간 모양이지만 아버지는 우리 두 사람을 아니꼽게보나 본지 그 문자에는 답이 없었나 보다.

원래 우리 아버지는 그런 인간이니까. 아내가 있었는데도 다른 여자랑 바람을 피고 나가버린 인간한테 문자를 했다는 생각만 해도 역겹고 구역질나고 정말인지 좆 같다. 그런 저질스러운 기생충보다 못한 인간한테 무슨 기대를 하고 무슨 가르침을 받겠는가? 전부 다 쓰레기일것이 뻔한데 말이다.

그런 생각을 한 다음에 나는 9시 정도에 근처 지하철 역에서 만나자고 문자를 보냈다.

66

엄마는 먼저 와있었다. 무슨 일인지는 모르겠지만 꽤나 기뻐보이는 얼굴로 나를 맞이하면서 말이다.

"오늘 고기 먹자. 고기 고기."

"꼭 학생 같네. 엄마."

엄마가 웃으면서 말했다.

"말해두는데 말투가 그렇다는거지. 겉 모습이 그렇다는게 아니니까."

우리는 조금 걷다가 근처에 보이는 삼겹살집으로 들어갔다. 9시에 토요일이라서 그런지 삼겹살집에는 사람이 많았다. 엄마는 나의 의견은 묻지 않고 메뉴를 시켰다.

"어떻게 지내?"

불판 위에서 주문한 고기를 구우면서 엄마가 말했다. 내가 먼저 엄마의 안부를 물어보려고 했는데 꽤나 의외라서 놀랐다.

"그럭저럭 최근에는 공원에서 나하고 똑같은 색의 머리카락을 가진 여자아이를 만났어. 이름은 잘 모르겠지만."

67

나는 불판에 있는 마늘을 뒤적뒤적 거리면서 말했다.

"넌 그런 아이였잖아. 강민지. 어렸을때부터 거칠어 보여도 마음이 연약한 아이였으니까. 누군가를 도울수 있는건 아주 좋은거야."

엄마가 다 구워진 고기를 잘라 나의 접시에 올려주면서 말했다.

"꽤나 감동적인 말이네."

나는 무뚝뚝하게 고기를 씹으면서 말했다. 사실 무뚝뚝하게 나오고는 싶지는 않았지만 요즘 피곤하고 혼란스러워서 무의식적으로 무뚝뚝하게 말이 나간다. 내가 그러려고 한 것도 아닌데 말이다.

그래도 오늘의 엄마는 꽤나 행복해보였다. 기분이 좋은지 추가로 주문한 맥주를 기쁜 얼굴로 잔에 따랐고 맛있게 마셨다. 나는 그저 그 모습을 신경쓰지 않고 고기 불판에 있는 마늘을 젓가락으로 뒤적뒤적거렸다. 어떻게 마늘을 태우지 않고 맛있게 구워서 먹을수 있을까 같은 것들을 생각면서 하니까 이 것도 하나의 게임과도 같은 느낌이 들었다.

68

나는 이런 사소하면서도 쓸모 없는 것에만 몰두하는 습관이 있다. 아무리 해도 고쳐지지 않는 그런 습관 말이다.

"그런건 대충 해도 좋으니 고기를 먹어."

엄마가 나한테 말했다.

"알았어."

"학교 생활은 어때?"

엄마가 나한테 물었다.

"그럭저럭 지낼만 해."

거짓말을 했다. 딱히 기분이 유쾌하지는 않지만 진실을 알려주고는 싶지는 않다. 어차피 진실은 알고 싶은 사람만 알아야 하니까. 그럭저럭 민감하지 않은 주제로 이야기를 나누다가 엄마는 맥주를 더 시켰고 나는 공원의 그 여자가 생각이 나 엄마한테 말을 걸었다.

"저기 술 마시고 실수 한 적이 많은 엄마한테 물으려고 하는데."

그러자 엄마가 웃으면서 말했다.　　　69

"전제가 틀린 것 같은데 술 마시고 실수 하는 건 너도 그렇잖아."

"아침부터 술 마시는 건 어떤 때에 마셔?"

엄마는 혼자 눈을 동그라미로 뜬 체 말했다.

"어떤 사람 이야기인지 궁금하네."

"누구 한 명을 이야기하기 보다는 일반론인데."

나는 이렇게 얼버무렸다. 공원에서 나하고 같이 이야기를 나누는 여자아이의 이야기라는건 빼고 말이다. 그 여자아이의 이야기가 그저 가십거리로 언급되는건 싫다.

"너 그 공원에 있는 여자아이 이야기 하는거 아니니? 강민지?"

순간 거짓말이 들킨 것 같아서 꽤나 곤란해질뻔했다.

"뭐. 그럴수 있지."

엄마는 웃는 얼굴로 말했다.

70

엄마는 기지개를 펴면서 말했다.

"뭐. 난 고등학교때부터 술을 안고 살던 소녀였으니까. 아. 나이 먹는건 싫어. 최근 주량이 완전히 줄었어. 세월이란 참."

그리고 무언가 기분이 좋아진것 같은 엄마는 나한테 맥주를 권했다. 나는 두 손으로 잔을 들고 맥주를 받았다.

"어때?"

엄마가 웃으면서 말했다.

"뭐. 평소 맥주 맛이지."

평소 맥주 맛이지 라는 말을 들은 엄마는 시선을 다른 곳에 두더니 나한테 다시 말을 걸었다.

"그거 인생 같네."

"응?"

"평소 같지도 좋지도 싫지도 않은 일상 속에서 그나마 인생의 의미를 찾아가려고 하는 것 그것이 인생이잖아."

엄마가 으스대면서 말을 이어나갔다.

"이래봐도 나 문학소녀야. 대단하지 않니? 무슨 문호가 말했을 것 같잖아."

나는 그 말에 웃음이 나왔다. 아마 엄마가 한 그 말이 맞을지도 모른다. 좋지도 싫지도 않은 것들 사이에서 인생의 의미를 되찾는것이 진정한 의미니까.

양다혜 17화

펼친 우산을 흔들자 머리 위에서 빗방울이 춤춘다. 아스팔트 위에 생긴 비 웅덩이를 밟지 않도록 조심해서 나와 똑같은 머리카락 색을 가진 그녀와 걷는다. 때때로 다른 사람과 스치지 않게 조심조심 말이다. 우리 집에서 문제의 그 공원으로 가는 루트는 이미 익숙해졌다. 인간은 적응하는 동물이니까 말이다. 우리는 입구를 지나 자갈길을 밟으면서 나아갔다. 정원 쪽으로 향하면서 우리는 많은 이야기들을 했다. 일상 이야기나 어제 먹은 커피가 맛있었다는 그런 평범한 이야기들을 하다보니 어느새 목이 칼칼해졌다.

누군가와 이야기를 이렇게 목이 칼칼할정도로 하게 된건 처음이라서 온 몸이 떨리고 마음이 따뜻해진다. 나는 정체불명의 여자가 누구인지 그리고 그 여자가 우리 학교에서 재벌 2세인 양다혜인것을 안다. 하지만 지금은 그녀한테 말하고 싶지 않다. 아니 말할수 없다는 단어가 적절하겠지.

그녀는 아니 다혜는

아직 진실을 받아 드릴 준비가

되지 않은 것 같으니까 말이다.

옆에서 캔 맥주를 따는 소리가 들린다. 도대체 이 아이는 얼마나 많은 슬픔과 공허함을 맥주에 담아 삼킨걸까? 그런 생각을 하다보면 마음이 먹먹해진다. 다혜야 그만해 하면서 안아주고 싶다. 그러고 싶은데 그 말이 그저 마음 속에서 목젖에서만 맴돌다가 아무 말도 아무 감각도 표현하지 못하고 정적만이 흐르게 된다. 내가 봐도 정말 난 한심한 년이다. 그것도 매우. 널 사랑한다고 널 좋아한다는 그 간단한 말 한 마디도 못하고 목젖 끝에서 겨우 겨우 삼키고 있으니까. 나도 정말 바보 같은 년이겠지. 이러고 있으니까.

73

겉으로 보이는 옷차림은 정말 패션 스타같고 무대 위에 춤추고 있는 아이롱 같은데 왜 정체를 어설프게 숨겨가면서 평일 아침부터 나랑 같이 손을 잡고 공원에서 맥주를 마시고 있는걸까? 그것도 한 두 캔이 아닌 정신을 못 차릴 정도로 말이다. 그녀의 이름을 부르고 그녀의 손을 잡아주고 싶다. 그리고 사랑한다고 내 곁에 계속 있고 싶다고 말하고 싶다. 혹시 이 아이는 나를 만나지 않는 날에도 이러고 있는걸까? 같은 생각이 든다.

그것을 알기 위해서는 내가 그녀를 직접 하루 종일 미행해야겠지만 그러고 싶지는 않다. 사랑이라는 감정이 집착까지 연결이 되고 싶지는 않으니까. 나는 지금 그녀를 진심으로 사랑하기 때문에 그런 일까지 해가면서 그녀를 망가트리기를 원하지 않는다.

벤치에 맥주 캔을 내려놓는 소리가 들린다.

'무슨 고민 있구나?'

그 아이는 벤치 가장자리를 짚고 가볍게 몸을 내밀며 나를 처다봤다. 이제 알겠다. 그 아이가 나한테 말을 걸려고 하는 것을 이제야 알겠다.

74

문뜩 6학년때가 떠오른다.

그때 내가 충동적으로 수영장에서 그 아이한테 공기를 주었던 순간 그녀는 순식간에 내 앞에서 도망쳤다. 그 기억이 난다. 그때의 나의 첫 사랑이 지금 중학교 1학년이 되어 나와 같은 나이에 나와 같은 공간에 앉아있다. 그게 뭐라고 설래는걸까?

"그냥 옛날 추억이 떠올라서요."

나는 그런 감정을 숨기고

그 아이한테 내가 할수 있을 만큼

차분하게 말을 꺼냈다.

"어떤 옛날 추억?"

그녀는 특유의 미소를 지으면서 말했다. 마치 초등학교때 수영장에서 만났던 내 기억에 남는 미소였다. 그때의 미소가 아직도 기억에 남는 것을 봐서는 나도 초등학교때나 지금이나 그녀를 사랑했던것 같다. 이렇게 그 아이를 생각하고 있으니까. 픽이나 바보 같기도 하고.

"그냥 초등학교때 수영장에 있었던 바보 같았던 한 여자아이의 대한 기억이죠."

나는 덤덤하게 그 말을 꺼냈다. 지금 생각해봐도 내가 이 말을 왜 꺼냈는지는 잘 모르겠다. 사랑에 대한 아픔때문인지 아니면 그 아이가 이 이야기를 듣고 무언가를 느꼈으면 좋겠다는 철부지 없는 복수심인지도 모르는 감정이 내 몸 안에서 소용돌이치고 있으니까. 그 순간 그녀의 보락색 눈동자가 흔들렸다. 그때 6학년때 수영장에서 보았던 그 눈동차처럼 말이다. 너도 기억하는구나. 그때 그 순간을 나도 그때가 잊쳐지지가 않거든. 그때 이후로 나도 너도 물 속에서 신비한 시간들이였으니 말이야.

"아마 나는 그 시절 덤덤하게 살지 못했던것 같아. 양다혜..."

제기랄.. 이야기하면 안되는데 이야기해버렸다. 어쩌다가 이렇게 된거지 같은 생각이 내 머릿속에서 들기 시작했다. 하고 싶은 말을 하니 속이 뚫린것 같은 느낌도 들기도 하지만 동시에 뒤에 있을 일까지도 걱정이 되고는 한다. 이게 어떤 감정일까?

76

6학년때나 지금 중1때나 나는 전혀 달라진것이 없다. 달라진것이라면 나이뿐.

이윽고 단풍나무가 자신의 색을 선명하게 들어내고 비가 그칠 무렵 그 아이는 덤덤하게 나한테 말을 꺼냈다.

"어떻게 알았네. 강민지."

그 말에는 약간의 눈물기가 섞여져 있었다. 그래서 더 슬프게 느껴지고 가슴이 아린다. 이런 방식은 바라지 않았는데.

왜 항상 이렇게 되는걸까?

양다혜 18화

그 말을 꺼낸 다음 날에도 비가 내렸다. 어제 사건 이후 그녀와 같이하지 않는다. 아니 정확히는 그 아이가 거부했다는 말이 더욱더 정확하겠지. 겉은 아이몽처럼 당당하고 그 누구보다 떳떳해 보이면서도 정작 속 사정을 들여다보면 그 누구보다 겁쟁이이에 누군가에게 상처를 줄까 나를 피하는 모습이 정말 한심하다고 정말 나는 그런 성격의 사람이 진절머리나게 싫다고 단호하게 선을 긋고 잊어야 하는데.

77

그런데 전혀 잊쳐지지가 않는다. 오히려 양다혜의 울먹거리면서 말한 목소리가 자꾸만 자꾸만 이상하게 마음에 걸린다. 계속 내 머릿속에서 반복해서 생각이 난다. 나한테 그녀는 이미 초등학교 6학년때 도망간 겁쟁이로 생각하고 싶은데 그렇게 기억하는 것이 더욱더 내 인생에서 편할텐데.왜 나는 이런 제멋대로인 여자한테 반해버렸고 아무 것도 하지 않았는데 내 눈에서 눈물이 나오는걸까? 깊은 미지의 세계에 잠겨있던 정체도 형태도 냄새도 아무 것도 느껴지지 않는 무색무취의 존재가 나한테 감정을 서서히 슬픔과 그 슬픔이 끝난 다음에 무언가를 해야겠다는 마음으로몰아간다.

아마 다혜는 그 공원에 있을지도 모른다. 되도록 그녀가 그 공원에 있기를 진심으로 바란다. 만나서 하고 싶은 이야기가 있으니까. 공원으로 가다가 편의점에 들려서 상자에 든 크래커를 샀다. 여섯개가 든 작은 봉지 아홉개가 세트였다. 색다른한잔이나 바 같은 곳에서 안주에 간단한 치즈 같은 것들을 올려서 칵테일이나 맥주에 내주는 그런 크래커다.

78

크레커에 어울릴 만한 버드와이저 맥주 캔과 코로나 맥주 병 몇개를 사서 봉투에 넣고 공원에 도착했다. 양다혜는 오늘도 그 공원에 있었다. 벤치에는 갈색 폴로 랄프로렌 퍼플라벨 가죽 서류 가방을 올려놓고 네이비 톰포드 드레스 셔츠에 짙은 수제 파란색 넥타이에 밝은 파란색 폴로 퍼플라벨 블레이저 정장 세트에 갈색 알튼 구두를 신고 앉아있었는데 다른 점은 그녀의 보라색 머리카락이 단발이라는 점이였다. 평소에 입었던 스타일하고는 비슷했지만 내 눈에 들어온건 다혜의 보라색 단발머리였다. 남자처럼 짧게 머리를 자르고 약간의 포마드를 바른 듯한 그녀의 밝은 보라색 머리는 긴 머리였을 때에 느낌과 확실히 다르지만 이것도 나쁘지 않다.

"다혜야. 술이라도 마시면서 이야기 하자."

"응."

나는 말 없이 벤치에 앉아 그녀한테 버드와이저 캔을 건냈다.

"술은 혼자 고독하게 마시거나 모두 같이 마시는 거야."

"다혜야. 하나 물어봐도 돼?"

79

"응 뭔데?"

"넌 도대체 어떻게 벼텨온거야?"

나는 어제처럼 술 기운에 힘을 빌려 말을 꺼냈다. 이럴때는 술이 좋기는 좋다. 나한테 조금이나마 앞으로 가야하는 힘을 주니까.

"그저 덤덤하게 살아 온 것 같아. 남의 호의를 탐닉하고 받기만 하고 전혀 주지는 않았으니까."

다혜가 버드와이저 캔을 까면서 말했다.

"정확히는 이기적이라고 하다는 단어가 더욱더 적절하지만, 글세.. 좀 쓸쓸한 운명을 타고난거니까. 우리 모두가 더 그런거니까."

분명 저 말은 상당히 이기적이고 내 성격상 화가 나서 진절머리가 나서 당장 자리를 박차고 나올 법한 발언이지만 지금은 그러고 싶지가 않다. 아니 그럴 수가 없다. 나는 지금 그녀를 사랑하니까.

80

"단 둘이 있는건 그런거라고 생각해. 애인이 되는 것도 말이야. 처음에는 폭죽에 화려한 불꽃처럼 모든 것이 아름답고 환상적인 마법과도 같지만 꿈 같은 시간이 끝나고 나면 폭죽 특유의 매쾌한 냄새와 타버린 검은색 잔해만 남는거지. 몇 분 아니 몇 초 전에 화려한 불꽃은 연기와 같이 사라지고."

다혜는 목이 메이는지 다시 맥주 한 모금을 마신 다음에 다시 말을 이어나갔다.

"지금 1년전 초등학교 수영장에서 도망친 이유도 그런거야. 분명 신비하고 아름답고 잠시라도 머물고 싶지만 1분만 생각하면 산산조각난 유리처럼 박살이 나 모두를 다치게 만드는거지."

"항상.. 항상.."

내 목소리가 떨리기 시작한다. 분노한 감정 때문일 수도 있고 아니면 복합적인 감정 때문일수도 있지만 지금 이 순간 어찌 떨리는 목소리가 아니라는건 거짓말이다.

"그렇게 너 자신을 속이고 도망치지 마. 모두가 다 치터라도 지금은 신경쓰지마. 설령 우리가 욕을 먹더라도 우리는 우리의 갈 길을 가면 되는거야."

81

"힘들지 않다고 거짓말 하지 않을게. 난 거짓말 따위는 못치는 년이니까. 다만 한 가지는 확실해. 너가 나랑 같이 가기를 수락한다면 우리가 처음이 되는거야! 아마 가장 힘들겠지만 빛나는 선례가 되겠지."

나는 다시 마른 침을 맥주로 삼키면서 다혜의 얼굴을 손으로 잡고 그녀의 보라색 눈동자를 똑바로 응시한다. 이번에는 도망갈수 없다는 의지를 담은 내 검은색 눈동자와 아직 갈팡지팡 하는 보라색 눈동자가 정면으로 대립한다.

"불안해? 괜찮아. 내가 있잖아." 같은 메세지가 전해지기를 바라면서.

"그 동안 내가 같잖은 양아치라서 그래서 그래? 그렇다면 미안해. 내가 사과할게."

나의 눈에는 약간의 눈물이 고여있었다.

"하지만 난 살아오면서 알고 있어. 나도 같잖지만 공부도 했고 그래서 내린 결론이 이거야. 억압을 사랑하지 말고 다른 것들을 봐라보자고. 그래서 열심히 공부해서 어린 나이에 저학년 미술 선생님이 되었어."

82

진지한 만남도 어차피 이루어지지 않을 것이라는 것 따위는 안다. 나도 바보가 아니기 때문이다. 다만 그녀한테 정확하게는 양다혜한테 마음 한 구석이 찝찝하게 미련을 남기고 싶지 않아서 최대한 내 안에 있는 복잡한 감정들을 정돈해서 말했다.

"그 절망에 빠진 손 내가 잡아줄게. 그것만은 내가 장담할수 있어. 내가 아니라도 뭐든지 좋아. 변하지 않는 것으로 주위를 채워봐. 그게 뭐든 간에.. 수틀리면 성병이나 옮기고 자기 멋대로 데이트 폭력이나 하는 한남보다는 나을걸. 아무튼 뭐든지 다 좋다고. 널 희생하지 않은 요소면 뭐든지 좋아."

나는 계속 말을 이어나갔다. 마치 지금이 마지막일 것 같다는 느낌을 받았기 때문이다.

"다혜야. 세상에는 가장 일상적이기 때문에 평생 사랑할수 있는 것들이 있어. 그것들은 너가 포기하지 않는 이상에는 절대 너를 놓지 않아. 그냥 너의 일부가 되어서 같은 시간에 녹아나겠지."

다혜는 한참 동안 고민하다가

나한테 간신히 말을 꺼냈다.

83

"그렇게 된다면 나도 누군가의 삶을 대신 사는 것이 아닌 나만의 삶을 살수 있을까? 강민지 너 처럼 말이야."

"그래 넌 할 수 있어."

"그런 삶이 정말 존재해?"

"너 눈에는 내 삶은 안 보이니?"

나는 웃으면서 다혜한테 말했다.

다혜는 약간 울먹이는 말투로 나한테 말했다. 고맙다는 말도 붙쳐서 말이다. 지금 생각해보면 그때의 우리들은 너무 어렸고 지나치게 낙관적이였다는 생각이 든다.

양다혜 19화

노예제도는 착하고 순진한 여성한테는 문제가 되지 않는다. 언제나 그렇듯이 어쩌면 나는 착하지도 순진하지도 않아서 그 노예제도에 적응하지 못했던 것 같다. 시간은 우리를 기다려주지 않는다는 어느 영화 속 이야기도 떠오른다.

어느 쪽이든 상관은 없다.

이미 내 자신조차도 어디로 가야할지 갈팡질팡이니까. 10월달 그때 그 시절처럼 대처하는 방법을 모르고 했던 이기적이고 비상식적이고 일방적이였던 고백처럼 하고 싶은 말은 정말 많았지만 입 안에서만 복 젖에서만 맴돌고 또 맴돌았다.

너는 계속 그 말만을 반복했으니까. 그리고 나 또한 점점 탄력도 희망도 없는 우리 둘을 보면서 질려갔으니까. 나는 의지가 강했지만 점점 질려가고 있었어. 인간이란 동물이 원래 그런 동물이니 말이야. 아무리 굳게 결심을 먹어도 결국 다시 제자리로 돌아오는 그런 류가 원래 인간의 본성이니 말이야. 그날도 양다혜 너가 평소와 똑같았다면 나는 너의 손을 놓고 나만의 길을 갈 생각이었어. 나는 킬 유얼 달링의 데인 드한처럼 아니면 루시엔 카 처럼 위험한 도박같은 건 하고 싶지 않으니까. 그래서 거리를 둘 생각이였어. 이대로 가다가는 모든 것들이 정말 엉망이 되니까. 결국 다혜도 나도 평소와 똑같이 흘러가고 진흙탕에 빠진 두명의 보라색 천사처럼 모든 것이 엉망진창으로 꼬이기 시작했어. 마치 나쁜 일은 한번에 일어난다는 말처럼.

85

양다혜 20화

"넌 평생 외로움에 허덕이면서 살거야. 양다혜."

매일 매일 발전 없이 서로의 몸만 탐닉하고 술과 담배에 빠져 우리 둘을 갉아먹는 그녀한테 기억조차 나지 않는 1월의 어느 날에 단호하게 한 말이다. 머릿속이 그저 아무것도 아무것도 떠오르지 않는다. 나도 다혜도 우리 둘다 서로 발전 없이 매달렸고 오히려 내가 먼저 그녀한테 매달렸는데도 지겹도록 매달리고 또 매달린 사람은 다혜가 아니라 나인데...

강민지는 그날 그 헤어지겠다는 문자를 보내고 한참 동안 정신을 차리지 못했다. 머릿속이 너무나도 복잡했다. 아무런 목소리조차도 들리지 않을 정도로. 그것때문에 아까전에 가스레인지에 커피를 끓리기 위한 물이 졸아서 주전자를 태워먹을때까지 말이다. 정신을 차리고 불이 나기 직전의 주전자를 빨리 가스레인지에서 뺀다. 제기랄.. 이미 주전자는 검은색으로 타버렸다. 아마 새로 사야 할것 같다. 그 타버린 주전자가 나와 다혜의 관계처럼 전혀 돌아갈수 없는 시점까지 왔으니까.

마치 루비온 강을 건넌 망자가 과거의 한탄과 후회를 내뱉지만 실제로는 이미 끝났으니까 어쩔수 없이 새로운 시작의 길을 가야겠지. 자의든 타의든 말이야.

그리고 차디찬 겨울이 지나고

봄 바람의 선선한 느낌이 우리 집에 찾아왔다. 난 아직 초짜니까 아무 것도 모르는 감정 따위 꼬질꼬질한 사람이나 부자 곁에 아무도 없는 삼색 조명과 이색 칠 사이에 서있는 사람처럼 살기 보다는 명예로운 전진을 하는 그런 아이가 되기를 결심하면서 갈 길이 먼 내 자신을 위로하면서 걷기도 힘든 길을 건반에 생긴 길 위를 걸어나가야 하니까.

이 시간이 끝나면 나는 더 굳센 아이가 되어있을거야. 그럴거라고 확신해.

굿 바이 퍼플 브릭 로드 굿 바이 양다혜.

양다혜 21화

죽으면 어떤 느낌일까?

깊게 잠들어 간 곳에는 누가 있을까?

87

난 아마 지옥 끝 가장 뜨거운 곳에서 벌을 받고 있 겠지. 타인의 호의만을 탐하면서 살아왔으니까. 커 튼 사이로 들어오는 밝은 아침 햇살 사이로 강민지 가 보낸 이제 더 이상 못 하겠다라는 문자가 와있었 다. 자신조차도 감당하지 못하겠다는 말과 함께 그 동안 즐거웠다는 그런 내용이었다.

그저 살아갈 뿐인데 일상에 구멍이 난다.

그녀를 위해 냉장고에 사두었던 노란색 리몬첼로 우리가 뒹굴었던 침대와 그녀를 위해서 남겨놓았던 또 다른 배개 화장실에 남겨진 또 하나의 칫솔 그녀 와 마지막 여행을 갔을때 찍은 사진들 생각해보면 별 것 아닌 것인데 그 이별문자가 나를 계속 괴롭힌 다. 마치 끈적한 타르처럼.

사실 내 자신한테도 문제가 있는 것을 안다. 매일 학교에 안 나가고 술과 담배에 중독되어져 있었고 타인의 호의를 탐닉해서 강민지의 인생까지 내 색 으로 물들이려고 했으니까. 아무리 술을 마셔도 아 무리 담배를 피워도 아무리 아이퐁처럼 당당한 사 무직 여성처럼 단정하게 딱 옷을 차려 입어도

88

내 안에 남아있는 어머니의 죽음에 대한 죄책감은 전혀 사라지지 않는다. 아니 더욱더 선명해진다. 강민지와 똑같은 보라색 머리카락 그러나 눈동자는 소름 끼칠 정도의 똑같은 검은색 눈동자와 10살때 비극적인 사고로 돌아가신 우리 어머니와 놀랍도록 닮아 있었다. 물론 내 눈동자 색은 컬러렌즈가 아니다. 원래 그 보라색 눈동자이다.

어머니도 아버지도 검은색 눈동자인데 나만 보라색 눈동자를 타고난 어쩌면 태어났으면 안되는 그런 저주의 눈동자.

그런 운명을 타고난 아이니까.

양다혜 22화

생각하던 것을 말하려면 강한 힘이 필요하고 그 힘은 자기 자신을 바꿔놓는다. 방황의 시간들이 몇일 동안 이어지고 추운 날씨 대신 온화하고 따뜻한 날들이 이어지면서 나는 그렇게 생각했다. 내 자신에 대한 부정적인 생각들을 하게 되면 그런 방향으로 흘러가니까. 막연히 품고 있던 두려움이나 망설임 같은 것들이 뒤로 물러나 작아졌다. 그 대신 내 안에는 무언가 나아갈수 있는 희망이 펼쳐졌다.

거기에 발을 딛으면 무엇이든지 할 수 있는 희망 말이다. 지금 그 희망을 손에 넣는다면 아무리 강한 악마도 물리칠수 있을 것 같은 근거 없는 강한 긍정의 기분이 들 정도이다.

그리고 어느 날 엄마가 있는 납골당에 가자 검은색 정장 세트를 입은 남자가 나를 불렀다. 직원실로 가자 그 남자는 "아가씨 잘 지내시나요?" 라고 말했다. 나는 웃는 얼굴로 때때로는 가식적인 말들로 때때로는 기억나지도 않는 거짓 미소를 지으면서 그 시간을 때웠다. 아마 내가 걱정되서 부른 것 같은데 이야기의 절반만 요약하자면 너가 굉장히 걱정이 되고 앞으로 도움이 필요하면 언제든지 연락을 달라는 그런 말이였던걸로 기억한다. 정말인지 우습다. 겉으로는 저 남자도 웃으면서 나를 배려하는 척 하겠지만 속은 썩어빠진 사과처럼 나를 무시하겠지. 그게 인간의 겉과 속이니까.엄마나 나는 유능하니까. 그런 겉과 속이 다른 인간 따위는 매우 잘 안다. 겉과 속이 다른 인간 따위에 호의에는 결코 속지 않아. 난 그런 멍청한 년이 아니니까. 그런 생각을 하던 와중에 고독한 우주 비행사 같다는 느낌이 내 머릿속에서 떠올랐다. 아무리 노력해도 닿지 않을 별을 보면서 동경하기만 하고 정작 가까이 가면 별로라고 내 생각보다 빛나지 않는 별이였구나. 라고 생각하면서 살아왔던 것 같다.

90

사실 내 스스로를 고독한 우주 비행사로 포장해왔던 것 같다. 직설적으로 말하면 내 이익만 취하는 이기적인 행동인데. 그런데 사람은 왜 이렇게 전략해버리는걸까? 분명 몇 일전에 헤어진 강민지라는 아이도 비록 겉모습은 양아치처럼 보이지만 무언가 개념도 있고 상식도 있어보였는데 무슨 일이 있어도 나를 놓지 않을 것 같아보였는데 비참한 것을 본 것 처럼 나랑 이별을 통보했다. 그녀뿐만이 아니다. 내가 10살때 돌아가신 우리 어머니도 여러가지 일들에 치여서 지쳐서 뭔가 불만이 있는 것처럼 나를 쳐다보고 내 앞에서 빨강불에 돌진하는 트럭에 스스로 몸을 던져서 목숨을 끊었으니까.

나는 지금도 내 어머니가 왜 그때 내 눈 앞에서 그런 선택을 했는지 이해하지 못한다. 그 여자도 충분히 똑똑한 여자인데 말이다. 이상적인 세상을 동경하기는 했지만 말이다. 가만 있어보자... 이상적인 세상을 동경한다는 그 자체가 꽉 막힌 재벌 집 사회에는 불가능한 일이니까 점점 비참해져가는건 이해가 가지만 어린 자식 앞에서 스스로 목숨을 끊을 정도는 아니었다고. 적어도 내 기준에서는 말이다. 물론 내가 모르는 힘든 일 같은 것들이 있을수는 있다. 당시에는 나는 너무나도 어린 나이였으니까.

91

그 나이때면 모든 것을 이해할수가 없다. 설령 이해했다고 해도 사람들이 들어주지 않으니까 쓸모가 없는 것이나 다름없겠지.그 강민지라는 아이는 어떻게 지낼까? 그때 마지막으로 헤어지겠다고 말을 하고 문자를 보냈을때 그녀의 얼굴은 상당히 통쾌해보였는데. 그 것은 그녀가 내가 일다운 일조차도 하지 않고 매일 공원에서 하늘하늘 몸을 흔들고 있었는데 그러면서도 복장은 단정하고 사무직 여성 같아서 앞으로 무슨 공적인 장소에 갈 것 같은 여성이니까 그런 내 자신을 보면서 상당히 한심하다고 느낀 것이겠지. 그것이 잘못이라면 내 잘못이라고 생각해.

어쩌면 내 자신조차도 외부 영향으로 인해 뭔가 타락한것이 되어버리지 않기 위한 저항일지도 모른다. 내 내면에 무언가가 닿았다는 것은 내 마음 속에서 나날이 커져갔다. 뻗은 손가락 끝에 단단한 것이 탁 하고 닿은 느낌이다. 내 내면에 나에게 소중한 무언가가 있었는데 그것이 있는 장소를 찾아낸 느낌인것 같다. 손으로 꽉 잡고 그 형태를 찾아보고 싶다. 내 자신의 내면에 있는 무언가에 부딪친다는 것은 처음하는 경험이다. 그동안 발생한 일들이 나한테 자기 이야기를 하고 있다고 느끼게 된 아주 중요한 발전이었다.

92

나는 지금까지 사람을 안다는건 바보 같은 일이라고 생각했다. 하긴 그럴만도 하다. 자기의 이야기만 하고 호의를 탐닉해온 그런 인간이니까. 하지만 지금까지 내가 알고 것과 세상은 많이 다를지도 모른다. 하긴 그럴만 하다. 자기의 이야기만 하면서 호의를 탐닉해오는 것보다 내 쪽의 문을 열고 남들을 설득하는 것이 그 것이 필요한 것일지도 모르겠다. 만약 그렇다면 나는 지금까지 꽤나 많은 것들을 놓쳐온 것이 분명하다. 내가 인정하든 인정하지 않던

나는 비오는 그 여름의 기억동안 강민지로부터 많은 것을 배웠다. 아마 이건 필요했던 과정일지도 모르겠다. 어린 아이가 어른이 되기 위해서 거쳐야 하는 성장통처럼. 10살때 문이 잠긴 빨강색 에스턴마틴 조수석에 앉아서 나는 그저 지켜봤다. 자동차를 한 구석에 세우고 빨강 불에 격렬하게 황소처럼 돌진하는 대형 트럭에 몸을 던지고 온 몸의 사지가 산산조각 난체로 나뒹굴던 우리 엄마의 마지막 순간. 그 기억은 중3 15살의 나를 아직도 지배하고 있다. 15살의 나이치고는 어휘력이 뛰어난 편이지만 그때의 기억을 적절한 단어로 표현하라고 한다면 그건 내가 아무리 나이를 먹고 어른이 된다고 해도 정말 못 할것 같다. 그것은 내가 처음으로 죽음이라는 것에 대해서 알게 된 것이니까. 93

내가 그때 보았던 죽음은

생각보다 잔인했고

생각보다 역겨웠고

생각보다 추악했다.

어쩌면 나뿐만 아니라 우리들은 죽음이라는 세계에 대해서 모르고 있을지도 모른다. 아긴 아는게 이상할 것이다. 산 자가 죽은 자의 세계를 이해한다는건 불가능하니까. 그러나 한 가지는 내가 확실하게 말할수 있다. 아무리 잔인하고 아무리 추악한 일이 있어도 앞으로는 가야 한다는 점이다. 과거에 간쳐서 미래를 보지 못하는 자한테는 새로운 풍경도 다른 장소로 갈수 있는 기회조차도 쥐어지지 않을 것이니까. 어쩌면 우리 어머니가 죽은지 5년하고 반 동안 나는 계속 과거의 흐름 속에서 앞으로 앞으로 나아가는 연습이 준 값진 결과물이라고 생각한다. 그 결과물을 소중히 여기고 다시 나아가느냐 아니면 과거의 파편 속에서 계속 살아가는 것이냐는 내가 선택할 몫이겠지. 하지만 이제는 달라. 나는 새로운 길을 열것이고 다시 당당하게 앞으로 나아갈것이다. 그게 고통스러웠던 5년 반동안의 시간에 대한 최소한의 예의니까.

94

양다혜 23화

"진심이라는건 비현실적이잖아."

"그래 어떻게 보면 그럴수 있지."

나는 잠시 읽고 있던 B의 일기의 책갈피를 꽂고 안소영한테 말했다.

"내 개인적인 의견이야. 남이 어떤지는 모르겠지만. 형태가 없는건 실감하기 어렵잖아. 냄새가 나는 것도 아니고 주관적이니까."

그녀는 냉장고에서 보리차를 꺼내면서 말했다.

"진심이라던가. 아니면 사랑이라던가."

안소영이 꺼낸 사소한 말 한마디에 순간 내 온 몸이 움찔했다. 갑자기 이야기가 너무 커져버린 느낌이 들었다.

"그래. 나도 잘 모르겠다. 사랑이나 진심이 정말 있는지 없는지."

나는 움찔한 분위기를 가볍게 웃어넘겼다.

"하지만 넌 나한테 진심인것 같아. 양다혜."

95

그 한 마디에 나는 하마타면 내 손에 들고 있는 우유가 담긴 머그컵을 대리석 바닥에 떨어트릴뻔했다. 어째서인지 그 대답에는 입을 다물수 밖에 없다. 단순히 부끄러워서가 아니다. 적당히 넘길수도 있지만 그렇게 하고 싶지는 않다. 그렇다고 안소영한테 감정의 동요를 이 이상 들키고 싶지는 않다. 이미 어리숙한 시절은 강민지하고 만났던 시절만으로 충분하니까.

"아하하. 그런가?"

나는 대충 어색한 웃음으로 때워넘겼다. 그래. 이게 나아. 안소영. 너를 좋아한다는 진심이 들어나면 관계에 흠집이 나잖아. 그럴바에는 그냥 친구처럼 같이 사는 관계가 좋잖아. 너를 좋아한다고 표현하는 것 자체가 안소영 너한테도 내 자신한테도 폭력적으로 끝날 것이 뻔하니까 말이야. 서로 통제 못하는 감정따위는 가지지 않는게 마법이 걸린 것처럼 환상 속에서 사는 것이 우리 둘한테는 좋잖아. 그래야 험한 꼴을 안 보지. 난 이미 그걸 봤어.

그런데 어째서 어째서 너는 그러한 감정을 바라는 거야. 안소영. 왜 나랑 친구 그 이상의 관계를 바라는거야.

96

왜 우리들 사이에서 진심 어린 사랑을 바라는거야. 어차피 사창가에서 우연히 만난 취기어린 장난이라고 언젠가 놀다가 버리는 장난감 같은 관계라고 생각해주면 안돼? 왜 그런 말을 한거야? 왜 그런 간절하고 애절한 눈빛으로 나를 봐라보는거야?

좋아해. 사랑한다는 언제나 폭력적인 말이다. 상대가 자신의 이상에 바뀌지 않는다면 언제나 바뀌고 잔인하게 박살날 말이기 때문이다.

그래서 나는 그 말을 좋아하지 않는다. 아니 경멸한다는 것이 정확한 단어 표현일것이다.

그런데 그녀가 안소영이 내가 고민하던 사이에 내뱉은 말이 좋아해. 사랑한다. 였다. 그것도 내 손을 잡아가면서. 이상하다. 분명 거절해야 하는데 당장 내 집에서 나가라고 말해야 하는데. 그래야 둘다 상처를 받지 않는데. 그런 생각은 전혀 들지 않는다. 아니 오히려 그 반대이다. 그 상처를 받고 깨질 것을 알면서도 오히려 접근하고 알아가고 싶다.

위험할 것을 알면서도

강민지처럼 결말이 똑같을텐데

97

너나 나나 결국 갉아먹어가면서

고통스럽게 끝날텐데

그럴텐데

어째서 또 다시 시작하려고 하는 걸까?

양다혜 24화

나는 언제 이런 말을 들은적이 있다. 세상이 점점
천박해져가고 있다고, 무슨 말인지도 알고 그 말의
의미도 아주 잘 알고 있다. 세상은 우리한테 점점
갈수록 저급해지고 사람이 어떻게 사람한테 이런
일을 할수 있는지 모를 정도로 점점 막장으로 가니
까. 그런 세상이 싫어서 나는 계속 거부해왔다. 눈
을 막고 귀를 막고 내 자신을 막아왔다. 하지만 쓰
레기를 버리면 치우는 사람도 있기 마련이다. 미련
하고 바보 같고 구질구질하지만 나는 아직도 믿어
보고 싶다. 흔히 사람들이 말하는 인류애라는 것을
그리고 그 손을 잡고 다시 나아가게 해준 안소영이
라는 아이와 같이 몇 달간 동거하고 있다. 친구도
애인도 가족도 아닌 우리만의 방식으로 말이다.

98

그리고 그런 관계가 지속되던 와중 안소영은 다시 한번 나의 손을 굳게 잡았다. 나는 아직도 사람이 너무나도 싫고 세상이 너무나도 경멸스럽지만 동시에 세상을 사랑하고 사람을 사랑한다. 모순된 감정이지만 말이다. 이 이중적인 감정이 그러하듯 나는 안소영한테 돌발적으로 키스를 했다.

소영과 키스를 한 다음에 나는 한참동안 그녀를 아무 말 없이 바라보기만 했다. 그녀가 나를 봐라보는 그 눈빛은 처음 강민지와 성관계를 했을때의 알수 없는 감정의 눈빛과 똑같았다. 그 감정이 무엇인지는 말을 안해도 알것 같다. 그동안 나를 이용한것 같은 죄책감과 자신조차 컨트롤 할수 없는 사랑이라는 감정 그리고 새로운 시작점으로 갈수 있다는 기대 섞인 눈빛이었다.

침실 화장대 책상위에 올려져있는 전자시계 소리만이 조용한 정적을 깨운다. 우리는 꽤 오랫동안 같이 있었지만 어색했다. 서로한테 진지하게 대화를 나누어본적도 없고 1년동안 같이 살았지만 우리의 마음 속은 단 1센티미터도 가까워지지 않았으니까.먼저 손을 내민 쪽은 안소영이었다.

"그래도 오랫만에 하는건데. 이리 와봐."

안소영의 말에 나는 헛웃음을 지었다. 하긴 그렇다. 우리들 같이 살면서 오랫만에 하기는 하지. 그 표정에 안소영은 애가 타나 본지 거의 애원하듯이 말했다. 이상하다. 처음에는 그녀의 얼굴이 그러지 않았는데 이제는 전에 보았던 다채로운 색의 얼굴이 다시 들어났다. 이것도 과연 사랑의 힘인걸까?

나는 그녀의 애원에 못 이기는척 얼굴에 약간의 미소를 띠고 그녀의 앞에 알몸으로 섰다. 약간 오묘한 감정을 억누르고 그녀에 가슴에 내 얼굴을 묻었다. 이상하다. 분명 강민지 이후로 다시는 다시는 사랑따위 하지 않겠다고 마음 먹었는데 이렇게 불나방처럼 비극적인 결말을 맞이할것을 알고 있는데도 이미 충분히 체험했는데도 나는 다시 사랑이라는 감정에 대해서 알아보려고 한다. 오랫만에 맡는 살 냄새에 안소영 그 특유의 체취가 내 마음을 편안하게 해준다. 겨우 눈물이 나오려는것을 참아보려고 하지만 참아지지 않는다.

"야 양다혜 왜 울어? 울지마."

"좀만 이러고 있자. 안소영."

"알았어. 자기야."

그의 가슴팍에 대고 숨을 들리마시는데 안소영이 갑자기 놀란듯이 말했다. 하긴 안 놀라는게 이상한 건가? 잠시 가슴에서 몸을 떼고 그녀의 얼굴을 바라보았다. 순간 웃음이 나왔다. 가식적인 웃음이 아닌 진짜 기뻐서 나오는 진짜 웃음 이런 적이 정말 얼마만일까?

"우니까 더 귀엽네. 양다혜."

그녀가 웃으면서 말했다.

"너무하네. 안소영."

내가 통명스럽게 말했다.

"역시 내 애인다워. 양다혜."

안소영이 웃으면서 말했다.

내가 그 다음 마디를 이으려고 하는 순간 안소영의 입술이 내 입술에 닿았다. 나는 실눈을 뜬체로 혀로 내 입가를 핧는 그녀의 얼굴을 보았다. 웬만해서는 한 소리 하려고 했는데 이제는 못 참겠다. 온 몸이 안달나기 시작한다. 나는 결국 그녀를 거칠게 안아 침대에 눕혔다. 줄지에 그녀는 침대에 누어서 나를 보고 있었다.

101

그 모습이 꼴려서 안소영이 입고 있던 옷을 하나씩 하나씩 벗기고 그녀의 손목을 강하게 잡은 다음에 갈듯 말듯 애무만 했다.

"야. 양다혜, 다 좋은데.."

안소영이 무언가를 말하려고 했지만 나는 그녀의 입을 나의 입술로 막고 나의 혀를 그녀의 입 안으로 넣었다. 그 바람에 침이 질질 새서 가슴팍 안으로 들어가지만 전혀 눈에 보이지도 신경 쓰이지도 않는다.

"읍읍읍.."

안소영이 입이 막혀서 그런건지 신음소리를 낸다. 이게 잘못된 행동이라고 하면 다 안 된다는걸 아는데 너무 좋아서 거부할수 없다는 표정. 그런 표정은 내가 가장 좋아하는 표정이다. 나는 안소영의 얼굴을 한 번 보고 목덜미와 쇄골에 연신 입을 맞췄다.

"아 이제 좀 낫네."

입이 자유로워진 안소영이 말했다.

"화끈하네. 자기."

102

안소영이 입고 있던 잠옷 바지를 벗으면서 말했다. 그러자 나는 웃으면서 말했다.

"오늘은 하루 종일 할거야."

"그러던가. 자기야."

능숙하게 안소영의 잠옷 바지를 벗기고 안 쪽으로 손을 넣어 밑을 문질렀다. 안소영은 잠깐 움찔하는 듯 싶더니 내 짧은 머리카락을 살짝 잡았다. 그래. 이래야 할 맛이 나지. 신음을 꾹 꾹 눌러가면서 참는 것도. 내 손길에 얼굴을 붉히는 것도 전부다 사랑스럽다.

"뭐야? 평소에는 안 그러더니 꼴렸네. 안소영."

"닥쳐."

"성깔 있네. 알았으니까 힘이나 빼."

온 몸에 잔뜩 힘을 주고 있는 것이 느껴져서이다. 그녀는 숨을 쉬면서도 몸에 힘을 풀었다. 이럴때는 또 기가 막히게 말을 잘 듣는다. 나는 그런 아이한테 보상이리도 하려고 반대쪽 손으로 그녀의 가슴을 살살 애무했다.

103

내 차가운 손이 왼 살에 닿자 그녀는 놀랐는지 고개를 뒤로 젖히며 숨을 내쉬었다. 그 모습을 보고 나는 애무를 하다 말고 그한테 입을 맞춘다. 우리가 같이 산지 1년이 되어서 곧 고등학교 졸업만을 앞두고 있는 이 순간이 정말 이상하다. 매번 느끼는 것이지만 멀리 있어보이는 그녀가 지금 내 앞에서 신음소리를 내면서 절정에 향하고 있는 모습은 언제봐도 믿겨지지가 않는다. 우리는 여전히 엉망진창이니까 덕분에 침대 이불 시트는 애액과 침으로 엉망진창이 되었다. 숨이 차기 직전에 입을 떼고 그녀의 얼굴을 바라봤다. 번들거리는 입술과 하얀색 피부가 붉게 상기된 모습을 보니 진짜 참기가 힘들어졌다.머릿속에서 이성이라는 끈이 딱 끊어지는 느낌이었다. 세상에 이렇게 사랑스러운 사람이 있을까. 강민지 이후에 처음 느끼는 감정이다. 이후에 우리는 어떻게 될까? 어떤 인생과 어떤 길이 우리 앞에 펼쳐져 있을까? 라는 복잡한 생각도 들었지만 지금은 신경쓰고 싶지 않아. 이 순간만을 즐기고 싶어. 자꾸만 뒤로 넘어가려는 소영의 허리를 붙잡고 그녀가 잘 느끼는 부위를 계속 애무했다. 그러자 그녀는 거친 숨소리를 내면서 내 눈동자를 쳐다봤다.

"사랑해."

104

거친 숨소리를 내면서 그녀는 나한테 말했다. 그 이야기에 잠시 몸을 떼고 슬픔과 의심이 가득찬 눈동자로 나는 안소영을 쳐다봤다. 나는 사랑이라는 단어에 대해서 아주 잘 안다. 매력적이면서도 모든 것을 불태워버리는 그런 양면의 동전 같은 단어인걸 더욱더 잘 알기 때문에 나는 아무 말 없이 한숨과 함께 손가락을 더욱더 깊이 넣었다. 그리고 그녀의 신음소리를 들으면서 그녀의 귀에 대고 속삭였다.

"나도 너를 사랑해. 언제나."

조용한 침실의 우리 둘의 질척거리는 소리와 신음소리만이 가득하다. 나는 그녀의 숨소리와 신음소리에 그저 집중하면서 애무를 할 뿐이다. 제기랄. 이러면 안되는데 너를 위해서라도 나를 위해서라도 가혹할 정도로 멀리해야 하는데 그럴 수가 없다. 정신을 차릴 수가 없다. 아름답고 또 아름다운 사람 그리고 이런 사람이 내 옆에서 알몸으로 나한테 애무를 당하면서 절정에 신음소리를 내는데 어떻게 그녀를 사랑하지 않을 수 있겠어. 우리 둘다 그저 불구덩이로 뛰어드는 검은 천사와 보라색 천사인것을 알면서도 타락과 쾌락에빠져 아무것도 보이지 않는다. 이대로 모든 것을 잊고 아무도 찾지 못하는 곳으로 달아날수 있다면 얼마나 좋을까?

105

"그런데 양다혜."

한참 멍을 때리던 와중에 안소영이 나한테 말을 걸었다.

"우리 정말 괜찮은거 맞지?"

그 말에 내 동공이 흔들렸다. 순간 강민지와 같이 했던 짧은 시간들이 떠올랐다. 그때도 똑같았었지. 그녀도 방황하던 나를 보고 안아주고 괜찮다는 말을 해주었지만 결국 나의 민낯을 보고 경멸적인 말을 하면서 헤어졌지. 너도 그럴까봐 그리고 바보 같게 머저리 같게 너한테도 상처를 주고 헤어질것 같아서 정말 두렵다고 나도 이제 어떻게 해야할지 모른다고 말하고 싶었다. 안소영도 안다. 딱 봐도 내 눈동자에 할 말이 많은 눈치인데 스스로 상처를 입히고 바보 같이 자기 자신을 망가지게 하는 것도 모자라 타인까지 망가트리는데 그걸 알면서도 너무나도 매력적이라서 껌딱지처럼 붙어있는 우리들은 어떻게 될까? 차라리 처음부터 그 사창가 골목에서 그녀를 무시하고 지나갔다면 그냥 그녀한테 사랑이라는 마음을 품지 않았더라면 조금이라도 나았을텐데. 그랬더라면 이렇게 되지 않았겠지. 하지만 이런 생각을 한다는 자체가 이미 늦었다는 증거이다. 나와 안소영이 할수 있는 일은 그저 서로 몸을 섞는 일 밖에는 없으니까.

106

진정한 사랑이라는 것은

그저 쓰레기통에서

장미꽃 한 송이가 피어나오는 것을

바라는 것 같으니까.

한숨을 내쉬면서 옷장에서 밝은 파란색 생로랑 블레이저를 꺼내 하늘색 브룩스브라더스 드레스 셔츠에 진한 파란색 랄프로렌 팬츠를 입고 마치 전투를 한다는 심정으로 밖으로 나간다. 생각해보니 집 밖으로 안 나간지 몇달 정도 된 것 같다. 잠시 머리라도 돌리면서 담배라도 피우려 엘레베이터를 타고 1층으로 내려가야겠다.

양다혜 25화

"그런데 오늘은 무언가 다르네."

1층 흡연실에서 담배를 피우면서 나는 무의식적으로 중얼거렸다. 하긴 그렇기는 그렇다. 지금 나한테 벌어지고 있는 일은 무언가 달라도 한참 다르니까. 설명할수 없는 강한 힘이 나를 머리부터 발끝까지 바꾸고 있는 느낌이다. 무언가 두려운데 그렇다고 기분 나쁜 감정의 느낌은 아니다.

107

"뭐가 다르다는거야?"

길거리에서 아무렇게나 주워온 것 같은 모자를 재미삼아 쓴 것 같은 안소영이 뒤에서 나를 부르면서 말했다. 소영이 그 아무렇게나 주워온것 같은 검은색 보스턴 레드 삭스 모자를 쓰고 있었다. 그 바람에 나는 피우던 럭키 스트라이크 담배를 화들짝 깜짝 놀라서 땅 바닥에 떨어트렸다.

"야. 깜짝 놀랐잖아."

나는 밝은 파란색 생로랑 블레이저 안 주머니에서 럭키 스트라이크 담배를 다시 꺼내 지포 라이터에 불을 붙치면서 말했다.

"미안. 미안. 그럴 의도는 없었는데."

안소영이 어색한 웃음을 지으면서 말했다.

"그래서 별로야? 내가 놀래킨거?"

안소영은 검은색 후드집업에서 메비우스 담배를 꺼내 싸구려 라이터에 불을 붙쳤다.

"아니야. 괜찮아. 오랫만에 신선한 기분이라서 괜찮네. 너가 조금더 적극적으로 나오기도 해서 다행이고."

108

그 말을 들은 안소영은 피던 담배를 발로 밟아 끄고 검은색 보스턴 레드 삭스 모자를 양다혜의 머리에 씌어주었다.

"야. 안소영. 방금 포마드 발랐단 말이야."

양다혜가 투덜거리면서 말했다.

"잘 어울리는데 왜 그래?"

안소영이 웃으면서 말했다.

"그냥 좀 10대처럼 보여서, 그런건 싫어."

양다혜가 얼굴을 붉히면서 말했다.

"너 10대잖아. 무슨 소리야. 하긴 이런 면에서는 또 귀엽다니까."

안소영이 활짝 웃으면서 말했다. 그 웃는 얼굴이 또 뭐라고 병신같아 바보 같이 나는 그 해맑게 웃는 얼굴에 또 멍청하게 넘어간다. 마치 에덴동산에서 금단의 과일을 먹은 이브처럼 말이다. 어쩌다가 이렇게 된 걸까? 그래도 오늘은 기분이 꽤 좋다. 단순한 기우가 아니라 다시 앞으로 나아갈수 있다는 그런 기운이 내 눈 앞에 펼쳐지는 희망의 기운이 보인다.

이런 것이 사랑인걸까? 나는 철 없는 어린아이처럼 실실 웃었다. 내가 봐도 조금 한심하기는 하지만 말이다.

"다혜야."

안소영이 부르는 목소리가 들렸다.

"갑자기 왜?"

나는 피우던 담배를 하얀색 페레가모 로퍼로 비비면서 말했다.

"사랑해."

안소영은 나한테 웃으면서 말했다. 그게 또 뭐라고 나의 얼굴은 점점 빨개진다.

"이러니까 어린애 같네."

안소영이 웃으면서 말했다.

"너도 참..."

돌직구를 찍힌 나는 빨강색으로 변한 얼굴을 급히 손으로 숨기고 말을 이어나간다. 조금 더 어른스러워 보이고 싶었는데.

적어도 그녀 앞에서는 말이다. 내 인생 첫번째 사랑은 아니지만 지금 이 순간은 발끝이 땅에 닿지 않는 물 속에서 떠다니는 것 같다. 아무것도 모르겠다. 게다가 이런 감정들은 지금까지 쌓아온 상식이나 안정 같은 것도 전혀 떠오르지가 않으니까 말이다.

"실은 말이야.. 양다혜.."

안소영이 벤치 쪽으로 미끄러지듯이 자리를 옮긴다. 그리고 다리를 가지런히 모으고 몸을 굳치면서 곁눈으로 나를 쳐다본다. 안소영이 얼굴이 약간 빨강색으로 변한 것 같은데 도대체 무슨 말을 하려고 하는지 도대체 모르겠다. 그녀의 말은 내 수치심을 정확히 깨문다.

"양다혜 너랑 밖에서 키스해보고 싶어."

아마 안소영은 마음 속에 담아두는 것이 별로 없는 아이인것 같다. 이렇게 자기의 감정을 솔직하게 말하는 것을 봐서는 말이다. 평소에 집 안에서 키스를 자주 하기는 했지만 밖에서 안소영이랑 키스를 해본적은 한번도 없어서 당황스럽다. 곧장 목이 바짝바짝 말랐다.

"꽤 당황스럽네."

111

나는 어색한 웃음을 지으면서 말했다.

"그런가? 분명 엄청 대단할거야."

그녀는 환한 미소를 지으면서 밴치에서 일어나 성큼 성큼 내 쪽으로 향했다. 이 아이는 꽤나 솔직한 아이구나. 라는 생각이 들었다. 그 생각도 잠시 그녀의 혀가 내 입 안으로 서서히 들어왔다. 너무나도 순식간에 말이다. 몹시 긴장해서 온 몸이 굳어버린 내 자신의 모습은 상당히 우스꽝스러웠다. 하지만 그녀의 빠른 페이스에 웃고 넘어갈 여유는 없다.

우선 그녀의 손과 나의 손을 맞잡는다. 내 오른손과 그녀의 왼손이 얽히다. 서로 떨어지지 않게 말이다. 남은 안소영의 손이 내 볼로 다가온다. 각도를 맞추듯이 손가락이 내 피부에 닿는다. 그 희미한 접촉에 온 몸이 부들부들 떨린다. 마지막으로 안소영이 왼쪽 다리를 한 발 앞으로 내밀었다.

그녀의 입술이 내 입술과 맞닿는다.

순간 시야가 녹아흐른다.

어디서 생겨난지 모르는 빛이 세상을 잠겨버리는 느낌도 든다.

112

그녀와 닿은 그 부분부터 그대로 녹아 흐를것 같은 느낌도 든다.

그 순간 머리 위로 잔잔한 가을 바람이 불어 나무잎이 떨어지는 소리가 들린다.

그 소리에 알수 없는 두려움을 느껴 나는 그저 안소영과 같이 포게졌다.

이윽고

천천히

떨어질 때는 내가 한 발 뒤로 물러났다. 그대로 휘청거릴것 같아서 발 뒤꿈치에 힘을 강하게 넣는다. 비틀비틀 거리다가 넘어지는건 딱 질색이니 말이다. 심장이 너무나도 급하고 빠르게 뛰어서 그 소리가 내 귓가에까지 닿는다. 내 심장 소리 말고는 아무런 소리가 들리지 않는다.

"어땠어? 밖에서 한 첫 키스?"

안소영이 호탕하게 웃으면서 말했다.

"그럭저럭 앞으로는 키스할때는 껌이라도 씹고 하자. 담배 냄새 난다."

113

나는 아까전에 느껴졌던 두근두근한 감정을 숨긴체 태연하게 말을 꺼냈다. 그녀한테 바보 같은 내감정의 동요를 들리고 싶지는 않았기 때문이다. 그래도 한 가지는 확실하게 장담할수 있다. 무언가를 사랑하기 위해서는 무언가를 잊어야 한다는 것을 말이다. 그리고 그것이 내가 강민지를 잊어야 하는 이유이기도 하다.나는 안소영 너가 무슨 역활을 하고 있는지도 무슨 마음을 가지고 있는지도 이제야 알 것 같아. 너도 나와 같이 미지의 우주 앞으로 가고 싶어하는구나. 그렇다면 나도 너의 손을 잡아줄게. 같이 험난한 파도를 이겨내고 나아가는거야. 아무리 힘들어도 너가 있으면 이겨낼수 있으니까. 담배를 피고 멍청한 검은색 보스턴 레드 삭스 모자를 쓴 나는 안소영이랑 공원을 걸으면서 그런 생각을 했다.

양다혜 26화

사랑과 미움은 한 끝 차이라는 말이 있다. 미움까지는 아니지만 나는 양다혜한테 약간 악감정이 있다. 더 정확하게 말하면 열등감이라고 정의하는 것이 더욱더 정확하겠지. 잘난 재벌 2세 따님에 도도한 성격 연예인처럼 무슨 옷을 입어도 잘어울리는 얼굴과 몸매 그리고 무엇이든지 이룰수 있는 권력까지 남들뿐만 아니라 내가 봐도 질투심이 들 정도니까.

114

그래서 조금 놀랐다. 남 부러울 것 없는 그녀가 사창가에서 나를 구해주고 지금 내 옆에서 어린아이처럼 잠을 자고 있다는 사실이 그리고 매일 눈을 뜨자마자 같이 아침을 맞고 같이 몸을 비비고 같은 공간에서 살아간다는 그 사실이 정말 꿈속을 걷는 듯했다.

내 생각 아니 편견과 다르게 양다혜는 의외로 친절했고 의외로 다정했고 의외로 털털한 남자아이 같은 면도 있어서 같이 생활하는 것은 그다지 어렵지 않았다.

"연인..?.."

늦은 밤 냉장고에서 차가운 보리차를 마시면서 혼자 중얼거린 말이다. 아마 이 단어는 다혜한테도 익숙해지지 않은 모양이다.

다혜는 나한테는 다정하지만 무언가 거리를 두는 모양이다. 투덜투덜거리면서도 내가 해달라는 건 다 해주지만 말이다. 그런 생각을 하다보니 갑자기 우리가 할머니가 되어서도 같이 있을수 있을까? 같은 생각이 든다. 만약 언젠가 헤어진다고 생각하면 나는 왜 이렇게 진지한 생각을 하는걸까? 생각을 거듭하고 또 거듭하다보니 내 몸이 거대한 블랙홀이 빨려 들어가는 느낌이 들어서 그만두기로 한다.

115

먼 미래보다 지금 현재에 집중해야한다.

예전에 어렴풋이 소설 책에서 들었던 말이다. 아마 그 말이 나한테 해당되는 말인것 같다. 분명 내가 다혜랑 같이 할머니가 될 때까지 늙어가는건 머나 먼 미래이다. 하지만 지금 이 순간 다혜랑 같이 평 범한 일상을 살아가는건 현재 진행형이다. 오후에 충동적으로 그녀한테 했던 키스가 밝은 보라색 머 리카락을 가진 소녀 양다혜의 일상을 바꿔놓았기 를. 다시 신발끈을 묶고 앞으로 갈수 있는 에너지가 되었으면 좋겠다.

물론 이왕이면 다혜가 먼저 내 손을 잡고 같이 앞으 로 갔으면 좋겠다. 그리고 그녀한테 알려주고 싶다. 세상에는 사소하지만 소소하게 즐길수 있는 것들이 있다고 그리고 그것들은 너가 포기하지 않는 이상 에는 너 곁을 떠나지 않고 남아있다고 흔해빠진 멜 로 로맨스 드라마에나 나올법한 3류 배우가 할 법 한 말이지만 그 말과 그 생각은 진심이다.

사랑을 하면 사람조차 바뀐다는 것을 흑백 모노톤 인 세상이 컬러풀하게 바뀐다는 것도 그녀가 먼저 나한테 보여줬으니까.

양다혜 27화

116

얼마나 잤을까? 한참 잠에 취해있을때였다. 나를 부르는 소리에 스물스물 눈을 떴다. 꿈인지 현실인지 잘 구분되지 않았다. 커튼 틈 사이로 떠오르는 아침 태양 빛과 침대에 앉아서 내 머리를 살살 쓰다듬는 양다혜의 모습을 보니 현실인것을 알게 되었다.

"아직 자니? 그래. 푹 자."

다혜의 따뜻한 손이 내 얼굴에 닿았다. 창문을 등진 채 침대 위에 앉아있는 그녀한테는 늘 그렇듯이 따뜻한 향이 났다. 그런데 오늘은 그 따뜻한 향에서 조금 쓸쓸해보이는 느낌이 났다.

"소영아."

다혜가 말을 망설렸다. 혹시 헤어진다던가 나랑 관계를 끊는다는 말이 나올까봐 두려웠다. 한때의 장난이라고 여자들끼리의 장난이였다는 말이 나온다면 다혜의 멱살부터 잡을 생각했다.

"우리 그냥 어디 달아날까?"

뒷말이 떨렸다. 전혀 예상치도 못한 말에 잠이 확 깼지만 나는 계속 눈을 감은체 아무 말도 하지 않았다.

117

"달아나자. 아무도 못 찾는 곳으로 갈까?"

꿈만 같지만 현실에서는 일어날수가 없는 기적과도 같은 이야기인걸 다혜 너가 잘 알잖아. 그런 현실을 이야기 해주고 싶었지만 혼자 속으로 삼켰다. 내 머리카락과 내 얼굴을 잔잔한 손으로 만지면서 하는 이야기 하지만 그 손짓은 오늘따라 조금 거칠게 느껴졌다. 담배를 피고 다시 집으로 돌아와서 여행잡지에서 본 순수한 파란색 바다가 펼쳐져 있는 해변가에서 사진을 본 다음에 너랑 같이 가고 싶다는 이야기를 할때처럼.화려한 조명 아래에 스포트라이트를 받고 있는 다혜한테는 현실적으로 불가능한 이야기니까. 그러려면 버려야 하는 것들이 너무나도 많다. 당장 우리가 같이 살고 있다는 것만 알아도 언론사들은 하나 같이 미친듯이 카메라를 들고 우리들을 먹잇감처럼 사냥할게 뻔해서 그 흔한 데이트조차도 밖에서 못하고 있으니까.

"난 따뜻한 곳이 그렇게나 좋더라. 소영아. 여름이 정말 좋아. 너처럼 정렬적이고 격렬하거든."

두서없이 말이 이어진다. 평소 같았으면 바보 같은 소리 하지 말라고 세상은 우리들한테 잔인한 곳이라고 그러니 숨 죽이고 살아야 한다고 말하고 싶었지만 오늘만큼은 그럴수 없었다.

겉으로는 항상 당당해보이고 무엇이든지 할수 있는 것처럼 굴지만 정작 속을 까보면 어린아이 같고 연약한 그녀에 대해서 누구보다 난 잘 아니까 말이야.

"같이 달아나서 1년 내내 여름인 곳으로 갈까?"

그녀가 내 손을 잡았다. 그 감각이 그 감촉이 너무 나도 따뜻했지만 마음이 불편하고 울고 싶은 마음을 겨우 삼킨체 나는 그저 가만히 있었다. 그 녀는 한참 동안 내 손을 잡고 있었고 눈물이 한 방울 두 방울씩 내 손에 떨어졌다. 그 울컥하는 느낌에 나도 울뻔했다.

"이럴줄 알았으면 널 집에 오게 하는게 아니였는데.."

당당해보이지만 바보 같이 혼자서 우는 사람, 도도해보이지만 마음이 연약한 사람, 그리고 겉으로 투덜거려도 다혜가 진심으로 나를 사랑한다는 것이 온 마음으로 느껴졌다. 왜 신은 이런 감정을 나한테 느끼게 해준걸까? 서로가 없어져야 행복할수 있다는 것을 알면서도 그러고 싶지는 않다. 그렇게 얻은 행복은 우리가 원하는 행복이 아니니까.

"더 자...."

119

그녀가 맥 없이 목소리를 내면서 자리를 뜬다. 방문이 닫치는 소리가 들리고 나서야 무언가에 홀린듯이 헉 하는 소리와 함께 잠에서 깼다. 눈물이 나오는걸 참을수가 없었다. 처음 느끼는 사랑이라는 감정은 왜 이리 슬프고 복잡한 것일까? 한 참 동안 침대에 누어서 반쯤 실성한 사람처럼 울었다.

한참 미친듯이 울다가 숨이 찰때 쯤 아침 해가 커튼 사이로 서서히 들어왔다. 그녀를 위해서 살아야 겠다. 어차피 우리가 만난건 운명이니까. 이를 악물었다. 내 가슴은 어느때보다 빠르게 타오르고 있으니까.내가 죽는 한이 있더라도 양다혜의 행복을 위해서는 무엇이든지 할수 있으니까.

양다혜 28화

회색 페인트가 칠해진 방 두 사람을 위한 차가워보이는 회색 철근으로 만들어진 의자 그리고 순백의 하얀색 책상에 올려진 서류 뭉치들과 검은색 제냐 정장에 순백에 가까운 하얀색 와이셔츠를 입고 무채색의 어두운 검은색 넥타이에 검은색 알튼 구두를 신고 짧은 보라색 머리카락에 포마드를 바른 나는 책상 오른쪽 가운데 의자에 앉아서 지포 라이터로 럭키 스트이크 담배에 불을 붙쳤다.

120

곧이어 육중한 철제 문이 열리고 갈색 체크 정장에 어두운 네이비 와이셔츠 그리고 갈색 스트라이프 넥타이에 갈색 구두를 신은 남자가 천천히 그리고 소름끼칠 정도로 조용한 방에 그가 걷는 구두발 소리만 들렸다. 그는 의자에 앉은 다음에 책상 위에 올려져 있는 서류 뭉치 중 "기밀자료" 라고 빨강색 도장이 하얀색 종이에 선명하게 적힌 종이 몇 장을 꺼내면서 천천히 서류 내용을 보기 시작했다.

이윽고 그 남자가 서류를 다 보고 나서 그 종이 몇 장을 다른 서류 뭉치들이 있는 곳에 놓는 대신 노란색 서류 파일에 넣었다.

"뭘 원하시는거죠? 양다혜씨?"

그 남자는 조용하면서도 절제된 목소리로 여유롭게 담배를 피고 있는 나한테 말했다.

"햇병아리 검찰청 소속 신입 검사한테 스포트라이트를 받을 정도로 과분한 자료를 넘겨진 이유를 친히 말해주지. 그것도 서울에서 먼 광주까지 와가면서 당신한테 현 검찰총장뿐만 아니라 대통령까지 흔들수 있는 자료를 준 이유를 말이야. 최찬호씨."

나는 피던 담배를 하얀색 책상에 비비면서 말했다.

121

"본론으로 들어가지. 최찬호씨. 지금 아버지 살해 혐의로 지명수배 받고 있는 안소영이라는 아이 여기 광주에 있거든. 너만 알고 있으라고. 너가 할 건 안소영이 자수할때까지 그 사실을 불지 않는거야. 나머지 지시 상황은 내가 시키는데로만 로보트처럼 하면 되는 거고 알아 들어?"

최찬호 검사는 콧방귀를 끼면서 말했다.

"18살짜리 어린아이가 지 애비 힘 믿고 담배나 입에 물고 잘난 암캐처럼 노는데 그러다가 너 골로 가 양다혜 학생 세상은..."

최찬호 검사가 말을 다 끝내기도 전에 양다혜는 검은색 키톤 서류 가방에서 종이 몇장을 꺼내 그의 눈 앞에 보여주었다.

"너 꽤 더럽게 놀더라? 미성년자 성매매에 해외 아동포르노까지 보고 심지어 해외 아동 포르노 아이디가 켑틴 아메리카더라. 켑틴은 무슨 켑틴이야. 그냥 역겨운 새끼지."

점점 최찬호 검사의 표정이 굳어가기 시작했다. 성공이다. 나는 거칠게 밀어 버리기로 결심하고 다시 말을 이어나갔다.

"박근혜 정부 솔직히 거지 같잖아? 지 애비 박정희 힘 믿고 개기면서 우리 검사님 잘 나가던 서울지검장 자리 짤리고 주상덕 그 능구렁이 같은 새끼한테 서울지검장 넘겨주고 얼마 안가서 검찰총장 달았잖아."

양다혜는 지포 라이터로 럭키 스트라이크 담배에 불을 붙치더니 다시 말을 이어나갔다.

"그래서 말하고 싶은게 무엇인가요?"

최찬호 검사는 아까전의 말투와 다르게 꼬리를 내리고 양다혜의 말에 정중하게 대답했다.

"눈치가 이제야 돌아가네. 너 꽤 쓸만하네. 최찬호 군. 이렇게만 나오면 처음부터 좋았잖아."

양다혜는 담배를 맛깔나게 피운 다음에 하얀색 책상에 비비면서 말했다.

"하여튼 남자들이란 눈치 대가리가 너무 늦게 돌아간다니까. 아무튼 그 자료는 검사님이 검찰총장 달고 법무부 장관도 무리 없이 달수 있으니 잘 넣어두시고. 그럼 잘 부탁드립니다. 최찬호 검사님."

다혜는 의자에서 일어나 공손히 인사를 한 체로 문을 닫고 나갔다.

양다혜 29화

겉으로 멀쩡한 사람인척 하면서 "배신당해도 괜찮아." 하면서 길가에 기어다니면서 만취한 새벽에 진정한 사랑을 찾아 다니던 날들한테 이제 답변을 해줄수 있을까? 아마 그건 내가 죽을때까지 내가 제대로 그 누구한테 말해줄수 없는 것이겠지. 나는 몇 일전 안소영의 아버지인 안상호를 비가 장마처럼 거칠게 내리던 늦은 밤에 살해했다.그 뒤에 일은 잘 기억나지 않는다.아니 기억하고 싶어하고 싶지 않은 것이겠지.

어차피 사람이라는 동물은 기억하고 싶어하는 것들만 머릿속에 넣는 그런 동물이니까.
다혜랑 내가 1년동안 같이 살면서 얻은, 우리들한테는 소중하게 여겨졌던 지식들. 예를 들면 꽃잎이 떨어지는 속도라던지 우주의 역사라던지 은이 녹는 속도라던지 같은 이야기를 바보 같이 나누었던 일은 양다혜와 나의 습관이었다. 지금 생각해보면 우리는 마치 동면을 대비하기 위해서 도토리를 모으는 다람쥐들처럼 아니면 먼 바다로 항해를 앞둔 선장과 선원이 더 거대한 바다로 나가기 위해서 별자리를 읽는 방법을 배우려고 하는 것처럼 세계에 흩어진 정체도 내용도 알수 없는 여러가지 지식들을 모으려고 하는 점이 기억에 남는다. 그때는 그런 지식들이 앞으로 우리 인생에서 필요할 것이라고 굳게 믿어 의심치 않았던 시절들이 있었다. 그래서 그런가. 나와 양다혜는 여러가지 잡다한 지식들을 알고 있었다. 계절마다 별자리의 위치들을 알고 있는 것은 물론 목성이 어느 방향에서 밝기가 가장 강한지 하늘이 왜 파란색으로 빛나는지 지구에 계절이 있는 이유도 과거에 존재했던 정체도 알수 없는 네안데르타인과 캄브리아키에 사라진 식물이나 동물들의 이야기도 다 알고 있었다.아마 그때 우리는 밖에 자주 나가지 못하니 집 안에서 상상의 날개를 펼치면서 우리보다 훨씬 더 크고 훨씬 더 강한 존재들의 대해서 넓은 세상에 대해서 강한 동경을 품고 있었다. 뭐. 지금은 그런 것들을 다 까먹었지만 말이다. 지금에 와서는 그저 예전에 알고 있었던 일이라고 가물가물 기억할뿐이다. 지금 와서 생각해보면 양다혜와 내가 필사적으로 기억을 공유하던건 서로를 못 만나게 될 것 같다는 예감이 들어서였다. 불행하게도 그 예상은 제대로 적중했지만 말이다.가끔씩 내가 모든 것을 다 망쳐놓은것 같고 때로는 이유 없이 모든 상황들이 나한테 억울하게 돌아가는 것 같다. 원래 이런 생각들을 많이 했었지만 커튼 사이로 들어오는 햇빛 때문에 눈을 떴을때 내 머릿속에서 가장 먼저 들어온 생각이었다.

논리 없이 마구잡이로 떠오르는 생각들이 내 인생 전체를 채우고 있다는 사실 따위는 내 자신도 확실하게 알고 있다. 이런 생각에 사로잡히게 된건 양다혜와 같이 살기 전부터인가? 아니면 그녀가 사창가로 가려는 나를 꺼내주려고 구원의 손길을 내밀었을때였나? 전자든 후자든 다혜의 잘못은 전혀 없다. 오히려 나의 생명의 은인이니까.

그녀가 거기서 나를 꺼내주지 않았더라면 나는 늪에서 허우적거리다가 환각제와 무의미한 남성들과의 섹스에 빠져 어느 모텔 방에서 커터칼로 손목을 그은체로 나체로 생을 마감했을거니까.

다만 불행하게도 끝까지 내 운이 내 마음대로 따라주지는 않는 것 같다. 비가 거칠게 내리는 장마 같은 날씨에 그녀가 자는 틈에 공허한 마음과 밖 공기를 마시기 위해서 나간 산책에서 중간에 어디인지 모르는 골목길에서 싸구려 라이터로 담배를 피려다가 나를 끈질기게 학대하고 끝끝내 도망치게 만든 지금 내 불행한 상황을 창조한 아버지라고 부르고 싶지 않은 자를 만났으니까. 골목길에 은은하게 빛나는 네온사인 칼을 들고 나를 살해하려는 아버지 하늘에 구멍이 뚫린 것 처럼 내리는 비

126

그 혼잡한 환경에서 정신을 차려보니 아버지는 공사장 철근에 머리가 뚫린 체로 악 소리도 못 내고 죽어있었다.

양다혜 30화

검은 비늘, 매끄러운 몸 그래서 그런지 사랑을 갈구하는 내 자신. 양다혜가 광주 외각 그 누구도 올것 같지 않은 재개발 지대에 곧 철거가 예정된 그래서 사람은 커녕 쥐새끼 한 마리도 없고 전기와 수도는 근처 다른 곳에서 몰래 연결해 쓰고 있는 무드도 사랑도 낭만도 없는 곳에 도피해서 숨 죽이고 있는 우리 둘의 이야기이다. 깊은 밤, 첫 눈이 내렸다. 눈이라고 하기에는 비가 너무나도 섞여져있었지 그나마도 좋은지 안소영은 기차 창문으로 눈 내리는 풍경을 봐라봤다.자정이 다 되어 광주역에 도착한 곳은 아무도 없이 철거예정이라고 주황색 종이에 빨강색 글씨로적혀져 있는 재개발 지역에 허름한 집이였다. 도심 외각에서 꽤나 떨어진 곳이라서 그런지 자동차가 없으면 한참을 걸어야 할것 같았다.

"도착했네."

양다혜가 검은색 BMW 02 차량을 공터에 주차하고 시동을 끄면서 말했다. 안소영은 조수석에서 내려서 그녀를 도와 트렁크와 뒷좌석에 있는 짐들을 꺼냈다. 대부분이 옷, 식용품, 생활용품 같은 것들이었다.

"생각보다 깔끔한데?"

호기심 가득한 눈빛으로 주황색 종이가 붙쳐있는 이제는 흔적조차 희미한 파란색 대문을 열고 집 안으로 들어갔다. 조금 엉망이고 전기는 안 들어왔지만 수도는 들어와서 다행이라는 생각이 들었다.다혜 말로는 광주에 아는 검사 한 명 있어서 당분간 조율 맞출때까지 숨어있으라고 하는데 내가 뭐라고 이렇게까지 해주는건지 솔직히 잘 모르겠다. 어떤 이유인지도 그다지 묻고 싶은 용기조차 지금은 없으니까.

"안쪽으로 들어와. 안소영.'

나보다 조금 앞장서서 걷던 다혜가 회색 리모와 여행 케리어에서 발전기와 연료통을 꺼내서 통에 뚜껑을 열고 가솔린을 발전기 안에 넣었다. 어느 정도 가솔린이 들어간걸 확인한 다혜는 버튼을 눌러 발전기에 시동을 걸었고 이윽고 시동이 걸리자 집 안에는 전기가 들어왔다.

"소형 발전기라서 기름은 자주 갈아야 하지만 전기가 들어오는게 어디야."

그녀는 갈색 바버 자켓으로 하얀 피부에 약간 올라온 땀 방울을 닦으면서 말했다.
집은 재개발 지역에 오래 방치된 것치고는 나쁘지 않았다. 거실에는 가죽이 벗겨진 쇼파가 밝은 노란색 빛을 잃은 체로 놓여져 있었고 누가 쓰던지도 모르는 작은 미니 냉장고가 부엌에 아담하게 놓여져 있었다. 페허가 되어서 사람의 흔적이 없는 동네, 동네 중간에 놓여져 있는 우리 둘 전에 있었던 화려한 집에는 비할바는 아니지만 그렇다고 나쁜 것도 아니다. 집 안 여기저기를 돌아보던 사이 다혜는 갈색 바버 자켓 주머니에 럭키 스트라이크와 지포 라이터를 꺼내 담배를 입에 물고 불을 붙쳤다.

"소영아 거실에 불 좀 켜줘."

다혜는 담배 연기를 입에서 내뿜으면서 말했다. 나는 거실 불을 컸다. 하얀색 보다는 오래된 노란색 불빛에 가까운 색에 약간 미간이 찡그려졌다. 밝은 조명에 익숙해져가는 사이 양다혜는 짙은 갈색 바버 자켓을 아무렇게나 쇼파에 던져놓고 갈색 폴로 럭비티에 밝은 리바이스 501 청바지 차림으로 거실 구석에 있는 오래된 나무

129

의자에 앉았다.

"다혜야. 나도 불 붙쳐줄래?"

나는 오래된 검은색 후드티에서 메비우스 담배를 꺼내 입에 물면서 말했다. 다혜는 담배 연기를 한 번 내쉬고 내 담배에 불을 붙쳤다. 오래된 노란색불빛 아래에서 선명하게 보이는 담배 연기가 위로 올라가다가 진눈깨비처럼 흩어졌다. 고작 담배 연기처럼 흩어질 관계라고 생각했는데 이렇게 오랫동안 질기게 가는 것도 아주 신기하다는 생각이 든다.

"담배는 이 정도만 피고 일단 이리 와봐."

다혜가 거실 바닥에 놓여져 있는 짐가방 중에 가장 작은 가방을 챙겼다. 바디워시나 비누가 들어있는 그런 가방이였다. 그녀는 앞장서서 거실 구석에 있는 방으로 들어갔는데 그 곳에는 욕실이 있었다. 비록 그녀의 집처럼 고급진 시설이 있는건 아니였지만 사우나에서나 불법한 초록색 큰 욕조가 구석에 놓여져 있는 형태였다. 근데 여기 와서 뭐 어쩌자는거지? 나는 그렇게 생각하던 와중에 그녀가 욕실문을 닫고 입고 있던 옷을 변기 뚜껑 위에 벗고 나서야 그의 의도를 알수 있었다.

130

'뭐 해?"

"너랑 같이 씻으려고.'

"응?"

그녀는 입고 있던 갈색 폴로 럭비티를 벗고 밝은 리바이스 501 청바지와 검은색 양말에 민트색으로 반스라고 영어로 적혀진 긴 양말을 벗었다. 그녀의 옷들이 하나둘씩 벗겨지는 것은 그것도 맨 정신에 본다는 것은 언제나 익숙하지 않다. 마침내 속옷까지 다 벗고 나자 그녀는 알몸이 되었다. 그녀의 순수한 하얀색 피부. 제 정신으로 상당히 봐라보고 있기에는 상당히 자극적이다.

"왜 이리 놀라? 너도 벗어.'

그녀가 알몸으로 욕조에 들어가서 뜨거운 물을 면서 말했다. 언제 봐도 매력적이고 날씬한 그녀의 몸매와 목덜미 아래로 이어지는 쇄골, 하얀색피부와 그 아래 숨어서 격렬하게 뛰고 있을 심장과 핏줄들 그저 그런 생각들을 하다보니 숨이 벅차오른다. 왠지 무언가 금단의 과일에 접근하는 느낌이 든체로 나는 옷을 벗고 욕조에 들어갔다.

"나랑 항상 같이 있겠다면서.'

131

그녀가 웃으면서 말했다.

손바닥 손바닥 사이에 힘이 들어가고

그의 살을 움켜쥐었었다. 그것때문일까. 그녀는 거칠게 숨을 내쉬었다.

"너무 거칠게 하는거 아니야?"

그녀가 웃으면서 말했다. 나는 그저 아무 말도 하지 않았다. 그 모습에 그녀는 그저 웃으면서 나한테 입을 맞췄다. 화려한 집을 떠나서 그런지 그녀가 아침에 뿌렸던 조 말론 향수의 향이 조금 느껴진다. 하지만 그 약간의 향수 향은 내 살의 냄새에 덮혀 전혀 느껴지지 않는다. 물론 숨을 크게 들이마시면 공기 중에 약간 그 향수의 향이 나기는 하지만.

내 입술을 가르고 그녀의 혀가 들어온다. 바보 같고 순진한 어린아이가 사탕을 빨듯이 이어진 입맞춤, 내 두 손은 그의 목덜미와 입술에 그의 왼손은 내 허리에 가까이 있어도 부족하다는 그 몸짓에 서서히 몸이 뒤로 밀린다.

132

바삐 입을 맞추면서 나는 그녀를 거칠게 안았다. 마침내 내가 욕조 끝에 주저 앉자 그녀는 갑자기 뜨거운 물을 나한테 틀었다. 금새 하얀색 연기를 내면서 나오는 뜨거운 물줄기가 나한테 폭포수 처럼 쏟아졌다. 그 틈을 타 그 아이는 내 가슴을 잘근 잘근 깨물었다. 더 이상 뒤로 넘어가지 않게 하면서 그저 신음만이 터져나온다.

"소리 왜 참아?"

그녀가 웃으면서 나한테 말한다.

"울.. 울려서.."

이렇게 말하는 내 대답까지 욕조에 울려퍼졌다.

그 말에 그녀는 웃음을 지었다.

"그래. 그런 것도 매력이지."

그 아이가 완전히 무릎을 꿇고 내 허벅지에 자기의 얼굴을 가져다 기댔다. 그 모습이 또 뭐라고 너무 예뻐서 내 숨이 멎을것 같다.

"..응..?"

나는 다혜의 보라색 눈동자를 쳐다보면서 말했다.

133

"너가 아무리 참고, 작게 신음해도."

그녀가 내 귓볼을 깨물면서 말했다. 온 몸에 소름이 돋는다. 이번에도 숨을 참으니 그녀는 더 거칠게 더 적극적으로 나한테 다가온다.

" 내 귀에는 크게 들리잖아."

그 말이 뭐라고 나는 점점 흥분한다. 하얀색 흔적 없이 녹아버리는 눈이 내리듯이 수증기의 연기가 천장 위로 올라간다. 김이 서려서 보이지 않는 거울을 보면서 과연 저건 뜨거운 물때문일까?

아니면 우리들의 내면에 있는 무언가 때문일까? 하면서 고민하면서도 나는 그녀를 포근하게 안았다.

134

양다혜 31화

지금 생각해보면 내 고교 생활은 내 정체성이 들어나기 전까지는 꽤나 즐거웠다. 아무 것도 하지 않았는데 내 휴대전화에는 남녀를 불문하고 새로운 사람들의 번호로 넘쳐났고 일주일의 한번은 친구의 집에이나 24시간 무인 카페에서 놀 정도로 굉장히 바쁘게 지냈다. 공부는 전혀 손에 잡지 않았고 덕분에 고1임에도 불과하고 성적은 언제나 하위권이였다. 뭐 어때 인생은 즐기라고 있는건데. 안 그래? 그리고 나는 사랑에 빠졌다.

135

상대는 남자가 아니라 우리 학교의 국어를 담당하는 젊은 여성 선생님이었다. 그래서 그 마음은 "같이 있고 싶다." "함께 하고 싶다." 같은 감정은 아니였지만 지금 생각해보면 그 마음들을 억지로부정해왔던 것 같다. 바보 같게 말이다. 그녀의 첫 수업에서 나는 마치 그린데이의 음악을 처음 듣고 빠져든 어린아이의 느낌을 받았다. 이해하기가 어려울까? 자세히 설명해보겠다. 나는 음악을 아주 좋아한다. 특히 락 음악은 더더욱 좋아한다. 그녀의 얼굴은 마치 그린데이의 보컬 빌리 조 암스트롱 처럼 잘 생기면서도 특유의 소년 같은 미모에 빠지게 된 것이다. 틀림없이 그녀는 나와 같은 반항의 피가 흐르는 사람일것이다. 라는 생각을 하다보니 어느 순간 그녀를 동경하게 되었다. 거기다가 생긴 외모와 다르게 목소리는 다정하고 아름다워서 그녀의 수업 동안에는 나는 숨결 하나 놓치지 않을 기세로 집중했다. 선생님이그 특유의 목소리로 "안소영." 이라고 불러주기를 갈망했고 그때 완벽한 답을 내기 위해서 국어 공부만은 개을리 하지 않았다.

136

선생님은 누구한테나 공정하고 평등한 사람이었다. 설령 내가 공부를 안하는 양아치였어도 말이다. 아무 근거 없이 나는 그 믿음을 믿어 의심치 않을 수 있었다. 그 사람은 한민지 선생님이었다.

"아 한민지 선생님! 지금 퇴근하세요?"

방과후에 한민지 선생님을 발견하면 나는 전속력으로 뛰어갔다. 꼬리를 흔드는 모습도 감추지 않았다. 멋대가리 없고 자기 멋대로 하는 남자들 대신 한민지 선생님이 나한테 관심이 있었으면 얼마나 좋았을까? 같은 생각이 든다.

"어머. 안소영. 아니, 직원실에서 일해야 해."

하아아아. 내 이름을 불러줬어.

"그럼 일 끝날때까지 기다릴게요. 선생님 같이 가요."

"안돼. 늦게 끝날거야."

"그럼 연락처라도 가르켜줘요."

"왜 그 쪽으로 넘어가?"

한민지 선생님은 웃으면서 설교하는 말투로 말했다.

"선생님의 연락처는 알아서 뭐하게. 안소영 넌 고등학생이니까 또래의 연락처를 많이 알아두는게 좋지."

말투는 부드러웠지만 한민지 선생님은 이런 식으로 방어막을 풀지 않았다. 그게 아니라 남자아이들하고도 전화번호 많이 공유한다고요. 심지어 단체미팅이라도 하자면서 대학생들이나 직장인들이 저를 많이 꼬신다고요. 하지만 전 선생님에 대해서 더 많이 알고싶다고요. 이런 식으로 이야기를 하지 못해서 그저 간절하게 선생님을 동경하는 눈빛으로 바라볼수 밖에는 없었다.

아침 10시 무려 3시간 정도나 지하철 출구 쪽에서 서 있는 나한테 접근한 남자는 3명. 이 곳이 홍대나 합정이였으면 더 많았을 것이라는 나도 안다. 그나마 이 역에는 사람이 별로 없어서 그런 것이겠지.

138

이 곳이 선생님이 사는 동네구나. 평소에 생각하던 락 스타일에 번잡한 곳은 아니지만 차분하고 멋지고 꽤 좋은 동네야. 검은색 리바이스 501 청바지에 하얀색 컨버스 티셔츠와 검은색 오버핏 블레이저에 노란색 반스 신발로 멋을 낸 나는 지하철 역 근처에서 서성거렸다. 도로 반대편에서는 야구 경기장에서 비슷한 은빛 지붕이 가을 햇살을 모래처럼 반사했다.

"누구 기다리나?"

4번째 남자의 목소리 딱히 싫지는 않다. 동행하는 일은 없지만 말을 걸어오는 건 그다지 싫어하지 않는다. 내 가치를 인정받는 느낌이 들어서다. 이번에는 과대한 패션을 입은 연약해보이는 남자다.

"네. 남자친구요."

나는 무뚝뚝하게 대답했다. 그때 "아까부터 내내 혼자던데." 라는 목소리와 "어머 안소영." 이라는 달콤한 목소리가 들려왔다.

139

"안소영이 맞구나, 무슨 일이니? 어머 친구?"

"한민지 선생님."

평소 입던 단정한 스타일과 다르게 올세인트 가죽 자켓과 하얀색 티셔츠에 밝은 리바이스 청바지를 입은 한민지 선생님이 눈 앞에 있었다. 스토킹 작전이 성공해서 목이 빠져라 기다리던 사람을 만났지만 전할수 없는 내 마음에 약간 가슴이 애려오기도 하는 순간이었다. 선생님이라는 말을 듣고 과대한 패션을 입은 남자는 슬금 슬금 물러났다. 그 모습이 얼마나 웃기던지.

"전혀 모르는 사람이에요."

"흐음. 누구 기다리니?"

"아니요. 그냥 이 근처 공원에 산책하러 왔어요."

"산책?"

"네. 이 근처 공원이 산책하기 좋다고 해서요."

140

나는 입에서 나오는데로 그저 말을 했다. 역 근처에서 봤던 공원이 갑작스럽게 생각이 나서 그런 말을 했는데 한민지 선생님은 그런 말에 납득한 모양인가보다. 휴 다행이다.

"그러고 보니 좋은 공원이 이 근처에 있기는 했지. 안소영은 의외의 취미를 가지고 있구나. 멋져."

그렇게 말하고는 선생님은 상대를 살살 녹이는 미소를 지어주었다. 그 모습에 반해서 넘어갈 뻔했지만 겨우 평정심 있는 얼굴을 짓고 선생님과같이 공원을 걸었다. 그날은 정말 환상적이고 완벽한 하루였다. 가까운 공원에서 이야기를 나누면서 같이 웃었고 근처 테이크 아웃 카페에서 선생님이 사준 커피를 벤치에서 앉아서 마시면서 시간을 보냈으니까 말이다. 마치 서로를 사랑하는 애인처럼.

141

이윽고 가을의 태양이 순식간에 기울자 공원의 폐장 안내문이 나왔다. 선생님은 나를 버스 정류장까지 데려다 주셨다. 주택과 키 작은 빌딩이 뒤 섞여 행렬을 이루는 아담한 거리에서 방향을 돌리자 건물 틈 사이로 저녁 햇살이 스포트라이트 처럼 우리를 비춰주었다. 한민지 선생님은 투명한 오랜지 빛을 받으면서 선명하게 빛났다. 나도 똑같이 선생님 곁에서 빛나기를 기원했다. 언젠가 선생님 대신 그녀로 애인으로 기억하고 싶다는 생각도 들었다. 그러나 나의 바람과 다르게 저녁 해는 빌딩 사이로 바쁘게 모습을 감추었고 우리는 차가운 군청색 어둠에 잠식당했다. 마치 희망이 사라지는 것처럼 느꼈지만 그래도 그때는잘 몰랐다. 더 강한 시련이 있을 것이라고.

양다혜 32화

내게는 내 자신도 깜짝 놀랄 만큼 강한 힘이 있었다. 때때로 그 힘이 내 자신을 바꾸고 타인을 바꿀 정도의 아주 강한 힘이라고 느껴질때도 있을 정도로. 선생님을 만난 이후 눈 앞에 교통 표지판이 번뜩 하고 뜰 정도로 선명하게 그녀에 대한 사랑이라는 감정이 느껴졌다. 사랑이라... 분명 손에 넣으면 즐겁고 행복할것 같은 단어이지만 잘못 쓴다면 서로를 파국으로 집어삼킬 그런 핵폭탄 같은 파괴력을 가진 그런 단어라서 내가 그다지 좋아하지 않는 이유이다.

그러니 지금 내가 선생님한테 품고 있는 감정을 설명할 단어는 그 단어밖에 없는 것 같아서 점점 초조해지고 목이 바짝 바짝 타는 것 같다.

아무리 갈구해도

아무리 원해도

동경하고 곁에 있고 싶어도

그리고 설령 그렇게 된다고 해도

그다지 행복한 결말이 아닌걸 알면서도

그러면서도 잠시나마 행복해지고 싶다... 라는 상당히 이기적인 감정이 내 마음 속에 스멀스멀 올라오기 시작한다. 이러면 안된다는 건 그 누구보다 잘 알고 있는데도 말이다.

누군가 나를 여기서 데리고 나가 줬으면 좋을련만. 그런 헛헛한 바람과 소망을 품게 된 것은 언제부터인걸까? 아버지가 나를 학대하기 시작한 중학생때부터인걸까?

143

아니면 지금 고등학교 1학년 긴 검은색 머리카락을 가지게 된 시절부터였을까? 나는 남자가 정말인지 저질스러울 정도로 싫다. 한 마디로 말하자면 세상의 반이 진절머리나게 싫었다는 점이다. 그리고 그 남자랑 엮겨야 사회가 원하는 행복의 기준에 도달한다는 것도 싫다. 애당초부터 복도에서 만나자마자 나가 죽어, 썅년, 한녀.. 같은 말들을 속삭이는 한남충들이 좋아보일 이유가 어디에 있을수가 있나. 자기들도 병신같고 여드름 대장이면서 씻지도 않고 노숙자 거지 새끼들처럼 꼬질꼬질한 주제에 또 성욕은 넘쳐서 머릿속에 여자 옷이나 벗겨볼 생각밖에 없는 그런 생물들이니 말이다. 나는 아빠도 그리고 내 또래의 다른 남자들도 그다지 좋아하지 않았다. 애비라는 작자가 보수 꼴통 기독교에 빠져서 개지랄하는 것도 나를 학대하는 것도 정말 좆같았고 내 또래의 남자들이 벌래 새끼들처럼 모여서 외국 그라비아 포르노나 보면서 자위나 해대고 누가 좋네, 누가 가슴이 크고 예쁘네, 역겹고 구역질 나는 말들이나 하는 인간 아니 생명체들이 남자라는 성별로 주위에 바글바글했으니까. 물론 내 휴대전화에는 남자들의 연락처가 있기는 하지만 내가 연락하지는 않는다. 관심 받는 것은 좋지만 그 이상까지는 가고 싶은 마음 따위는 전혀 없으니까 말이다.

144

그런 절망적인 상황 속에서도 뜨겁게 달아오른 연인간의 사랑은 더욱더 격렬하다고 나는 남자의 대한 증오를 여자에 대한 충동적인 사랑으로 풀어내기 시작했다.

하지만 아무리 채우려고 해도 채워지지 않는 것들이 있듯이 이혼한 어머니한테 받지 못한 사랑을 타인한테 강요하고 무한대의 애정을 바라는 일은 모두가 할 수 없는 일이다. 나도 지금까지 나를 지나간 수많은 이름조차 기억나지 않는 여자아이들한테 한 가지 단어만은 반복적으로 들어왔다. "너무 집착적이야." 이 단어가 내 머릿속에서 아직도 떠나지 않는다.

나도 안다.

내 자신이 집착적이고 이기적이고 남의 호의만을 탐한다는 것을 내 자신이 경멸날 정도로 싫지만 다시 정신을 차리고 보면 또 다시 제자리로 돌아가 바보 같이 똑같은 일을 반복하는 내 자신이 보면서 스스로 화가 난다.

 "소영아. 소영아. 괜찮아?"

145

혼미하게 들려오는 목소리와 토할 것 같이 울렁거리는 속. 제기랄 머리는 왜 이리 미친듯이 깨지는걸까? 가벼운 어지럼증이라고 생각하고 쉬는 시간에 잠깐 눈을 붙쳤는데 어느새 한민지 선생님의 수업 시간이 되어 있었다. 참.. 웃기는 인생이다. 아침부터 몸 상태가 안 좋았는데 그래서 어떻게든지 벼텨 보려고 했는데 그런데 하필이면 왜 내가 존경하는 한민지 선생님 수업 시간에 몸이 말썽인걸까?

그냥 이런 감정 따위를 몰랐더라면 이러지 않았을 텐데.. 그저 검은색 눈동자에서 눈물이 난다. 아무리 참아보려고 해도 그저 눈에 눈물이 고여 멈추지를 않는다. 난 도대체 어디서 부터 고장 난것일까?

"일단 소영아. 보건실로 가자."

그녀는 나를 부축해서 보건실로 데리고 갔다. 처음에는 몸이 조금 이상한줄 알았다. 언젠가 나을 것이라고 의심 섞인 믿음을 가지고 있었다. 하지만 수업 중간에 그것도 동경하던 선생님 수업에 쓰러지다니 정말 아침부터 정신이 하나도 없다.

146

"몸이 펄펄 끓네. 도대체 어떻게 된거야?"

그녀가 미지근한 물에 적신 수건으로 내 몸을 닦아주면서 말했다. 제기랄 이렇게 될 줄은 몰랐는데 어쩌다가 내 속살까지 들켜버리게 된걸까? 순백할 정도로 하얀색 피부에 아버지한테 당한 학대로 멍 자국들이 여기저기 있어서 볼품도 없는 몸인데. 그걸 그녀가 보고 말았다. 그 멍자국들 때문이였을까? 한민지 선생님은 겉으로는 아무런 감정이 느껴지지 않는 것처럼 보여도 눈가에는 약간의 눈물이 고여 있었다.

동경하는 선생님이 울먹인다 것에 내 몸이 아픈 것보다 가슴이 더욱더 아프고 애려온다. 이런 감정 전에도 많이 느꼈는데. 나를 스쳐지나간 여자들 전부다 처음에는 그랬는데 결국 결말은 파탄이였지.

그래서 나는 그저 잠든척 아무런 말도 하지 않고 보건실 침대에 누어서 그저 시간이 가기만을 기다렸다. 내 곁에 흘러가는 시간이 그저 악의를 가지고 조롱하듯이 주위를 그저 맴돌기를 한다. 시간은 언제나 똑같이 흘러가는데 오늘따라 고통스럽게 흘러가는 느낌이다.

147

그 고통을 외면하기 위해서 나는 아무런 말도 하지 않고 그저 눈을 감고 순진한바보처럼 침대에 누어 있을뿐이다. 이윽고 시간이 흘러 한민지 선생님은 보건실을 나갔고 그녀가 나가는 소리가 들리자 나는 눈을 뜨고 일어나 그저 히터가 틀어진 보건실 침대에 누어있었다.

양다혜 33화

"뻔하디 뻔한 말이지만 너의 눈동자는 내가 여태까지 본 것 중에서 가장 아름다워."

"베이비 드라이버처럼 너랑 같이 끝이 없는 국도를 자동차로 달리고 싶어."

예전에 품었던 풋내나는 머저리 같은 꿈들은 메비우스 담배를 피울 나는 하얀색 연기처럼 사라진다. 꿈 속에서 나는 하얀색 폴로 정장을 입고 톰포드 선글라스에 갈색 알튼 구두를 신고 엘튼존처럼 춤을 추면서 겉에 상처들을 숨기고 있지만 속은 좀처럼 깨지 않는 악몽에서 어딘가에는 반드시 있을 출구를 찾는 어린아이니까.

148

어디서 부터 잘못 된걸까?

처음 태어났을때부터?

아니면 내가

레즈비언이라는 걸 알게 되었을때부터?

그건 나도 잘 모른다. 하지만 한 가지 확실한건 나도 무언가 태어난 이유가 있다는 것이다. 지금은 발전적으로 나아가지는 못하지만 언젠가는 완벽한 자세로 거센 파도를 해치고 당당하게 서핑보드 위에서 서있을수 있다는 믿음 그 믿음 하나만은 깨지지 않았다. 그런 것이 없었더라면 진작에 망할 모르핀에 손을 대고 펜타닐에 손을 대는 막장 인생까지 가게 되었을거니까.

적어도 난 그렇게 내 삶을 마감하고 싶지 않다. 절대로. 그건 내가 바라는 삶의 마감이 아니다.

　"괜찮아? 안소영?"

149

학교 수업이 끝나고 한민지 선생님은 보건실 문을 열고 그저 아무 말 없이 나를 강하게 안아준 다음에 머리를 쓰담아주었다. 그 포옹과 사랑은 내가 초등학교때 입학하자 마자 바로 떠나버린 우리 어머니도 해주지 않은 애정 섞인 표정이었다. 그녀는 아직도 미열이 남아있어서 휘청휘청거리는 나를 꽉 부축해주면서 회색 SM5 조수석에 나를 앉게 했다. 그 모습에 어렸을때 꿈꿔왔던 내가 원하던 이상적인 어머니의 모습이 떠올라 눈물이 나오는 것을 겨우 참았다.

"일단 뭐라도 먹자. 안소영. 뭐 먹을래?"

그녀가 걱정스러운 말투로 나한테 말했다.

"그냥 아무거나요. 선생님."

나는 고개를 푹 숙인체 대답했다.

"그럼. 집에서나 뭐나 시켜먹자."

"네..."

150

나는 힘 없는 목소리로 대답하고 자동차 조수석 뒷자리에 앉아 잠이 들었다.

양다혜 34화

내가 이러는 와중에 넌 잘 지내고 있을까?

새로 만난다는 그 여자들과 함께일까?

꿈 속에서 안소영은 지금까지 지나간 여자아이들의 얼굴이 하나씩 하나씩 지나가는 것을 보았다. 제기랄 손이 점점 떨리고 축축한 땀이 나기 시작한다.

이런 것이 악몽이라는걸까? 그렇다면 탈출구는 있는걸까? 같은 불길한 생각이 든다.

사랑에 빠졌을때는 모르던 세상의 어두운 면들이 닥치는데로 나한테 스며들어 하얀색 종이는 너덜너덜한 검은색으로 변했다.

제기랄. 제기랄.

151

이제 나도 구제 불능이라는 생각이 들면서 땀을 흘린체 꿈 속에서 깨어났다. 너는 알까? 매일 밤 조금이라도 몽롱해진 상태에서 그리움에 젖어서 너를 찾는다는걸. 그리고 너를 생각하면서 욕실이던 침실이던 서로 짐승처럼 몸을 뒹군다는걸 그리고 그것이 망상인걸 알게된 순간 미친듯이 손에 커터칼을 긋고 싶고 공허함을 참을수 없다는 것을.

그래서 어떻게든지 해보려고 발버둥쳤지만 아무것도 통하지 않고 늪에 빠진것 같다는 것 말이야.

이윽고 눈을 뜨고 깨어보니 입고 있는 옷이 젖은 상태로 침대에 누어있었다. 제기랄 어떻게 된거지? 라고 생각하기 전에 몸 상태가 끔찍할 정도로 안 좋아졌다. 아마 좋지 않은 컨디션에 한민지 선생님까지 생각하다 보니 이렇게 된 것 같다.

그냥 미련을 버리면 간단한 문제인데 그 마지막 끈을 버리지 못해서이렇게 애석할 정도로 괴롭다니 정말 사랑이라는 감정은알다가도 모르겠다.

152

나는 그 감정을 잊기 위해서 그저 침대 구석에서 이불을 뒤집어 쓰고 모든 것이 지나갈때까지 울고 있다. 그녀의 혀가 부드럽게 내 가슴을 핥았다. 나는 그저 쏟아지려는 눈물을 참고 제 손으로 목덜미와 가슴팍을 쓸어내렸다. 바보 같이 망상인것을 알면서도.

"소영아. 사랑해."

그녀가 선명한 목소리로 속삭였다. 바보 같은 망상이 아니라 현실적이고 생생한 목소리로 말이다. 현실에서는 일어날수 없는 일이잖아. 선생과 학생이 사랑에 빠져 애인 관계가 된다는거 거기다가 이성도 아닌 동성애인인것은 더더욱 비현실적이고. 그런데 도대체 왜 이런 일이 벌어지고 있는걸까? 서서히 기억을 짚어 올라가니 이제야 기억이 난다.

우리는 서로를 은밀하게 사랑하고 있었구나.그것도 꽤나 오래전부터 지금까지 생전 처음 느껴보는 감정, 미친듯이 뛰는 심장 뭔지도 모르고 서로를 탐닉하는 두 명의 여성어쩌면 부도덕하다고 욕할지도 몰라. 그래도 더 알고 싶어. 오늘 밤 만큼은 사랑해. 한민지.

153

전부 술때문이다. 순식간에 학생과 입맞춤을 한것도 지금 내가 나체로 안소영과 누어있는 것도 전부다 술때문이다. 나는 그저 학생과 성관계를 했다는 죄책감 때문에 그저 헛웃음이 나왔다.

"선생님 괜찮아요?"

안소영이 눈을 감으면서 중얼거렸다.

"미안해. 내가 또 망쳤지."

"그렇지 않다고는 못 하죠."

그 말이 뭐라고 내 얼굴에는 피식 미소가 생긴다.

"이상하게. 이상하게. 너만 보면 그래."

가만히 듣던 안소영은 나의 입술에 키스했다.

"저도 이상하게 선생님만 보면 이러네요."

안소영이 나의 입술에 진하게 키스한 다음에 말했다. 아마 재 전생에 카사로바 같은 본능이 있는 듯하다.

154

"모르겠네요. 조금 취해서 그런게 아닐까요?"

안소영이 웃으면서 말했다.

그 말이 떨어지기 무섭게 나는 안소영을 안았다.

이상하다. 교사는 학생과 이러면 안 되는데.

그런 짓 따위는 안 하기로 다짐했는데...

안소영 너는 검은색 눈동자가 잔잔한 바다 같은 사람이라서 그 끝을 알수가 없어.

서로의 숨결이 느껴질때까지 가깝다.

나는 소영의 목덜미에 조심스럽게 얼굴을 묻었다.

이대로 아침에 영원히 깨지 않기를 바라면서.

155

양다혜 35화

아침 7시 습관적으로 눈이 떠졌다. 한민지는 이불 속으로 빠져나와 목이 마른지 냉장고에서 생수 한 병을 꺼내 마셨다.

마시고 나니 정신이 들었다. 그는 방 안에 가득찬 술 냄새를 빼기 위해서 창문을 열었다. 차가운 새벽 공기가 확 안으로 들어왔다. 조금더 잘까... 라는 생각도 들었지만 이왕 깨어난거 몸을 더 움직이기로 했다. 그는 세상 모르게 자고 있는 안소영한테 이불을 덮어주고 대충 차려입고 1층으로 갔다.

1층으로 내려가자 마자 그녀는 회색 나이키 추리닝 바지에서 싸구려 라이터를 찾아 메비우스 담배에 불을 붙쳤다. 일어나자 마자 담배를 피우는 것이 안 좋은 습관인걸 알아도 어쩔수 없다. 멍안히 빌라 주차장에서 담배를 피다보니 인기척이 느껴져서 뒤를 돌아보니 검은색 커트 코베인 얼굴이 그려진 후드 티를 입은 안소영이 나를 불렀다. 순간 간이 떨어지는 줄 알았다.

156

"선생님 아침부터 담배 피네요."

"그러게 이게 다 누구 탓일까?"

그녀는 안소영한테 퉁명스럽게 말했다.

"어제 먼저 분위기 주도한게 누구인데.."

나는 안소영의 입을 막았다.

"그걸 꼭 밖에서 떠들어야 하겠냐?"

그녀는 곤란한 표정을 지으면서 말했다.

"미안해요. 선생님."

안소영이 웃으면서 말했다.

"하여튼... 이 놈이 술이 문제야.."

그녀가 한숨을 쉬면서 메비우스 담배를 시멘트 바
닥에 비비면서 말했다.

"그나저나 해가 뜨네요. 선생님."

157

안소영이 웃으면서 말했다. 그 말대로 해가 뜨고 있었다. 구름 사이로 모습을 들어낸 해를 보면서 한민지는 눈부심에 잠시 눈을 살며시 감았다. 하지만 밝은 해는 그녀의 눈 사이로 들어와 계속 그녀를 방해했다.

양다혜 36화

나는 지금 무엇을 얻고 무엇을 잃고 있는걸까? 어쩌면 얻는 것도 없고 그저 바보 같은 제로섬 같은 게임처럼 모든 것을 불태워가면서 나 자신마저도 잃어가고 있는게 아닐까?
겨울 특유의 차가운 입김이 낡은 SM5 밖 유리창에 서리고 안소영이 자동차 뒷 좌석에서 자고 있는 와중에 대기 신호를 기다리면서 생각했다.

분명 학생 그것도 나와 같은 성별과 성관계를 한건 처음이다. 그리고 이렇게 말하면 안되지만 꽤 기분도 좋았고. 어제 밤 그리고 오늘 아침 감각과 그녀의 웃는 얼굴을 선명하게 기억한다. 처음에는 그저 교사로서 학생을 지켜야 한다고 내가 아니면 이 아이를 어떻게 돌봐야하는지 대한 고민 때문에 충동적으로 안소영을 내 집으로 데리고 왔지만 어제 애라 모르겠다 식으로 같이 마신 버드와이저 맥주가 문제였다.

인간은 이성보다 감성이 앞선 생명체라는 말을 어딘가에서 들어본적이 있다. 아마 대학교에서 심리학을 전공한 내 남자친구였던 애가 해준 말이었던 걸로 기억한다. 그래서 그런걸까? 나는 어떤면에서는 충동적이고 성급하다.

그건 부정할수 없는 사실이다. 어떤 사람들은 내가 어떻게 이런 면이 있는데 교사가 되었는지 상당히 신기해할때도 있다. 하긴 그럴만 하다. 겉으로 보이기에는 나는 상당히 평온하고 여유로워보이지만 속에는 어린아이처럼 충동적이고 성급한 면이 있는 불완전한 어른이니까. 학교에서는 그런 면들을 숨기고 다니지만 밖에서는 억눌렀던 단정함을 벗어던지고 쾌락만을 추구하니까.지금까지 그렇게 살아왔고 아무런 문제가 없었는데 어제 마신 버드와이저의 알콜이 또 사고를 쳤다. 제기랄... 이 놈의 술 버릇은 언제쯤 고쳐지려나.. 라는 생각으로 나는 고속도로에서 엑셀을 밟았다. 이윽고 자동차는 어디인지도 모르는 목적지에 도착했고 나는 차에서 내리자 마자 회색 나이키 추리닝 바지에서 메비우스 담배를 꺼내 싸구려 라이터로 불을 붙였다. 담배 따위는 몸에 나쁘다고 나중에 골병 난다고 티비나 의사들 따위가떠들어대지만 그건 그다지 신경쓰고 싶지 않다는 마인드로 담배 연기를 거칠게 내뿜었다.

159

겉으로는 멀쩡해보이지만 방황하고 있는 나

하나 둘씩 모래처럼 내 손에서 빠져나가는 것들 동경하는 대상들이 등을 돌리고 점점 멀어져간다. 나는 과연 어디로 가는걸까?

그리고 안식처를 찾을수 있을까?

이제는 잘 모르겠다.

양다혜 37화

"나한테도 의자를 주십시오. 나도 주요 증인입니다. 내가 의자에 앉지 못하는 이유가 오직 여성이기 때문이라면 당신들의 주장은 불합리합니다. 거꾸로 말하자면 당신들이 이 의자에 앉을수 있는 이유는 오직 남성이기 때문입니까? 이 거대한 사회가 무엇을 숨기고 있는지 배움의 기회를 얻지 못한 나는 잘 모르지만 그건 필사 더러운 치부일것입니다. 맞습니다. 그래요 당신들은 치부를 들킬까봐 두려워했던 사람들이고 우리는 억눌렸던 세상의 절반이죠."

160

방황의 드라이브를 끝내고 집에 돌아와서 오랫만에 넷플릭스에서 채널을 돌리다가 보게 된 여성의 참정권에 대한 용감한 투쟁을 다룬 다큐멘터리에서 흘러나오는 말을 들으면서 나는 내 곁에 잠든 안소영을 쳐다본 다음에 잠시 티비를 멈추고 냉장고에서 차가운 버드와이저 한 캔을 꺼내 마셨다. 불안정한 가족 처음부터 없던 아니 없었던 화목함 안소영과 나는 소름끼치도록 많이 닮아있었다.

불안정한 가족

처음부터 없던 아니 없었던 화목함

안소영과 나는 소름끼치도록 많이 닮아있었다.

교사가 되기 4년전 그러니까 26살때 일이었던걸로 기억한다. 나는 세상이 진절머리나게 싫었다. 아마 자라오면서 여성이 남성보다 대우를 못 받고 남성은 군대 2년 갔다온걸로 거들먹거리면서 모든 행위를 정당화하는것을 봐서 그럴까?

161

아니면 내가 장남으로 태어나는 대신 딸아이로 태어나서 얻은 저주인걸까? 세상은 나한테 항상 절벽 끝자락으로 밀고 나가는 불합리한 링 안에 서 싸우는 느낌이었다. 그 불합리한 링에서 군말 없이 벼틴 건 내가 어떻게 대항해야하고 어떻게 싸워야하는지 몰라서였다. 애당초부터 그런건 가르치지 않으니까. 세상은 복종적인 여성을 원하니까.

불안정한 가족

아버지의 외도, 처음부터 없었던 화목함

혼잡한 내부 상황에서

스스로 출구를 찾을수 없는 상황에서

생기는 다정한 가정이라는 빗나간 유혹

그 출렁거리는 찐뜩한 파도가 나를 거침없이 삼켰다.

"응 잠깐 와줄수 있어? 고마워. 오빠."

밤 11시 어두운 밤 오래된 아파트 계단에서 나는 6개월전에 처음 만난 주진영이라는 남자와 통화를 하는 중이다.

"지금 밤 11시인데도 왜 밖이야...?"

나는 쓰고 있던 마스크를 조금 내리고 말했다.

"아.. 회식 이제 끝났다고. 비도 오는데 늦게까지 회식하네. 아니 그냥 아빠가 짜증나서.."

나는 한숨을 쉬면서 말했다.

"조금 있다가 오겠다고? 알았어. 아파트 밖에서 기다릴게. 오빠."

주진영은 전화를 끊었고 나는 아파트 1층 계단에 비스듬이 앉아 아무것도 하지 않은체 멍 때리면서 그를 기다렸다. 이윽고 1층 계단 쪽에서 그의 자동차 소리가 들렸고 나는 아버지의 눈치를 피해 슬금슬금 조용히 아파트 공동 현관으로 나왔다. 씨발... 내가 범죄자도 아니고.

그를 처음 만나기 시작할때도 이렇게 비가 내렸지. 마치 6개월 전처럼 말이야.

163

전직 검찰총장 아들에 현재는 조국일보의 떠오르는 젊은 보수의 아이콘 유튜브 구독자 10만의 호밀밭의 주진영 이라는 이름으로 활동하는 나보다 3살 많은 청년이었다. 지적인 외모에 훤칠한 키 잘 떨어지는 수트 핏까지 여자들한테 인기가 많지만 나한테 관심이 올거라고 생각은 하지 못했는데 우연히 언론사 인터뷰 도중 회식 뒷 자리에서 만나서 친해지게 되었다. 당시 나는 아버지와 가정문제로 고민하고 있는 젊은 조국일보의 여성기자였는데 술 기운에 이거 저거 가정문제를 주저리 주저리 털어 놓기 시작했고 그날 이후 우리는 서로의 고민을 이야기했고 바보 같았던 꿈들에 대해서도 이야기했던 기억이 지금까지도 난다. 생각해보면 다 헛수고에 시간 낭비였지만 말이다.

그는 그때까지는 생각보다 다정했고 생각보다 친절했고 생각보다 따뜻했다.

잠시 뒤 남사친이 회색 BMW 520i를 몰고 아파트 주차장에 잠시 차를 세우는 소리가 들렸고 나는 하얀색 마스크를 코 끝까지 세우고 햐얀색 비닐 우산을 쓴 채 밖으로 나왔다. 마치 모든 것을 숨기고 싶어하는 범죄자처럼 말이다.

164

그는 내가 도착하는 것을 알고 자동차에 시동을 잠시 끄고 검은색 우산을 쓰고 회색 제냐 블레이저에 네이비 제냐 와이셔츠에 밝은 빨강색 수제 넥타이에 검은색 크로켓 엔 존스 구두를 신고 있었는데 회식이 끝나고 엉망진창일것 같았던 예상과 다르게 그는 꽤 단정해서 조금 놀랐다. 반면 나는 자다 일어나서 그런지 눌린 머리를 단정하게 하기 위해 쓴 보스턴 레드 삭스 모자와 검은색 티셔츠에 어딘가 어색해보이는 밝은 파란색 잠옷 바지를 입고 있었다.

"안녕?"

그가 꽤나 따뜻하고 다정한 말투로 말했다. 그 말에 나는 아무말도 하지 않고 그의 BMW520i 자동차 조수석에 올라탔다.

"어디 드라이브라도 갈래?"

그가 친절하게 말했다.

"그거 좋지."

165

나는 그 말만한체 아무 말도 하지 않았다. 곧 이어 그는 자동차에 시동을 걸고 마포대교로 향했다. 우리는 아무 말도 하지 않았고 그때는 그가 내 기분을 이해해줬다고 착각했던것 같다.

정작 착각하고 있었던건 나뿐이였지만.

양다혜 38화

"어 민지씨 연예해?"

직장에서 내일 낼 정치 기사를 정리하던 중에 송과장이 치근덕거리듯이 말을 한다. 나는 컴퓨터를 보면서 말했다.

"네에."

"어쩐지 더 귀여워졌더라고."

언제나 판에 박힌 하나도 센스 없는 대사이다.

"ㅎㅎ 그런가요? 감사합니다."

166

나는 그 말만 한체 그저 컴퓨터에 내일 발표할 정치 기사를 정리하기 시작했다. 유명 정치인의 탈당 이후 호남에서 신당을 창당해 녹색 돌풍을 만들겠다는 컴퓨터 박사 출신의 주목 받는 정치인의 기사를 적는중인데 제기랄 조금 더 특별하게 적고 싶은데 기사가 안 적혀져 한참을 골머리를 썩는 중이다. 그냥 적는 대신 정치 평론의 방식을 더해서 적는 평론 기사는 정말 지긋지긋 할 정도로 머리가 터질 것 같다.

"근데 옷 좀 화사하게 입어요. 치마 같은 걸로."

스테이션 밖에서 남자 직원이 말하는 소리가 들린다.

"그러게. 민지씨 치마 입을때가 예쁜데."

송과장이 맞장구 치듯이 말했다.

제기랄 사람들 다 듣게 떠들고 지랄이야. 같은 생각이 들지만 어떻게 반박할 길이 전혀 존재하지 않는다. 내가 우위가 아니니까 저들한테 사냥 당하는 것을 가만히 바라볼수 없는 현실에 굴복한다.

"민지씨. 저 커피 타줄래요?"

167

나는 그 말을 듣고 탕비실에서 맥심 커피 믹스를 두 개 뜯고 뜨거운 물을 따른 다음에 침을 뱉었다. 씨발 새끼들 어디서 여자 외모나 따지고 옷 차림이나 따지고 개지랄이야. 내 침이나 든 커피나 처먹고 나가뒤져라. 같은 생각으로 아까전에 뱉은 침이 들키지 않게 종이컵 두개에 뱉은 침을 스푼으로 저었다.

"어. ㅋㅋㅋ, 의도치 않게 봐버렸네,"

하얀색 폴로 셔츠에 검은색 슬렉스에 검은 구두를 신은 여자가 웃으면서 말했다. 심장 마비가 올뻔했네.

"요즘은 침을 뱉나봐요. 예전에는 본드를 발랐는데."

나이가 지긋한 그녀는 웃으면서 말했다.

"아! 농담이니까 너무 쫄지는 말고요."

말의 수위가 세서 그런걸까? 나는 꽤나 얼굴이 점점 굳어지기 시작했다. 저 여자는 또 뭐지? 말하는 꼬라지를 봐서는 나보다 직급이 꽤 높은 것 같은데 한번도 못 본 것 같다.

168

"아 나도 까먹고 있었지. 4팀의 정순미 과장이에요."

나이가 지긋한 그녀는 나한테 자기소개를 하고 웃으면서 종이컵을 꺼내 정수기에서 물을 마셨다. 나는 얼떨결에 어색하게 웃으면서 인사를 했다.

"그 커피 송과장이 시킨거 아니에요?"

"아니... 아니.. 맞아요."

그녀가 웃으면서 말했다.

"미안해라."

그녀는 물을 마신 다음에 종이컵을 쓰레기통에 버리면서 말했다.

"이름이?"

"한민지입니다. 입사 두달 차입니다."

나는 90도 각도로 인사했다.

"여기가 무슨 군바리 회사도 아니고 90도로 인사 안 해도 되는데."

나이가 지긋한 그녀가 웃으면서 말했다.

"근데 세상 웃기지 않아요? 한민지씨?"

정순미 과장이 웃으면서 말했다.

"이상하잖아. 남자는 결혼하고 나서 커리어 안 끊어지고 굵게 가는데 여자는 결혼하면 커리어가 박살나고 애 키우는 기계가 되는거 말이에요 너무나 똑똑한 여성들은 가차 없이 남자들이 혐오를 내뱉고 여성의 말과 행동이 조금이라도 주체적이면 이기적이고 드센 년이 되잖아. 내 주위에 능력 있는 여성들도 하나씩 하나씩 결혼하면서 사라져갔거든. 소름 끼치게."

"왠지 대학교에서 들은 페미니즘 수업 같네요."

나는 어색하게 웃으면서 말했다.

170

"아마도. 그래서 내가 결혼을 안 하잖아. 이 사회는 이미 여성들한테 결혼이라는 선택을 강요하고 있어. 불합리하잖아. 불알 두 쪽 달고 태어나지 못한 죄로 여성들의 권리는 남성들에 의해서 철저하게 박살나니까."

정순미 과장은 쓴 웃음을 지은체로 계속 말을 이어나갔다.

"결혼은 가부장적인 사회가 만들어 낸 노예제도에 불과할뿐이야. 참 지랄 같은 사회야. 200년전까지만 해도 여성은 남편의 동의 없이 은행 계좌도 못 만들었고 감히 한남충 남편의 심기를 거슬리는 일 따위는 하지 못했지. 반면에 남성들은 여성들이 누려야 할 기회와 젊음을 착취하면서 세계의 기반을 마련했고."

나는 조금 불편한 표정을 지으면서 말했다.

"그래서 민지씨는 결혼 할 거에요? 말하기 싫으면 안해도 되고."

"아.."

그 다음 말이 나와야 하는데 나오지 않는다.

171

말을 하면 되는데 아까전에 들은 불길한 말 때문에 그럴까...

말이 나오지 않는다.

"할 생각이 없으면 말 안해도 돼요."

그녀가 내 어깨를 잡으면서 말했다.

"말하기 힘든거 알지.내가 초면에 너무 과한 걸 물어봤네. 미안해요."

그녀는 그 말만 남기고 바쁘게 사라졌다.

양다혜 39화

"아직 안 왔나? 조금 기다릴까?"

집에 초인종을 누르면서 사람이 없는 걸 확인한 나는 근처 카페에서나 시간을 보내기 위해 엘리베이터를 타고 내려가려고 했다.

"괜찮아. 민지 조금 늦는다고 하더라."

172

어디선가 들려온 익숙한 목소리에 나는 무의식적으로 눈이 커졌다. 무의식적으로 들킬까봐 나는 윗층 계단에 몸을 숨겼다.

"민지 오기 전에 그 집이랑 이야기 다 끝내야겠어."

"민지가 꽤나 고집이 있네."

"진영아.. 아빠는 잘 모르겠다. 그렇게 말해도 딸 하나를 설득을 못하지 원.."

숨어서 이야기를 듣던 와중에 혹시나 들키기라도 할까봐 나는 목이 바짝바짝 타들어가기 시작했다. 분명 저렇게 이야기하는게 화가 나는데 아무것도 할수 없는 현실이 정말 원망스러웠다.

"그리고 민지가 결혼하고도 일을 계속 하고 싶어 하더라고."

"아니.. 그게 무슨 소리야. 일을 계속 하고 싶다니.."

"아니 걔도 때가 되면 알겠지."

173

"아니 개도 때가 되면 알겠지."

"개 말이야. 집안일을 별로 안 좋아하는 것 같아."

"본인 커리어를 포기 못하는 것 같던데?"

"어쩜 내 옛날이랑 똑같냐. 개가 세상 물정을 몰라서 그래. 지난번에 만나서 설명해줬는데 말이야."

"아들 나으면 생각이 달라질걸?"

점점 계단 소리가 위로 올라온다.

"눈에 넣어도 안 아픈 내 새끼. 일할 시간에 하번 더 보지."

"나중에 엄마가 한번 말해볼게."

"어휴.. 당신이 뭘 나서.,. 내가 오늘 보는데.."

"아... 결혼 관두자고 하는건 아니겠지. 내 친구들은 아내가 차려준 아침밥 먹는다던데.."

174

"넌 지금 아침이 문제니! 대를 이을 아들이 있어야 하는데!"

"일단 집안일에 흥미를 보여야 하는데."

"그런데 너 딴 여자 사귈 생각은 없냐?"

"뭐?..."

"아 됐어. 이상한 말 하지마. 난 민지밖에 없어. 어리고 예쁘고 또 똑똑하고."

"뭐 됐다. 그럼 빨리 집에 연락 넣어. 밤에 어디 안 가나 품행 단속 똑바로 시키고 잘 설득해서 직장 관두게 하고 멋 모를때 빨리 결혼 시켜버리라고. 괜히 일 커지기 전에."

"안 그래도 이번에 잘 말 시키겠다고 하던데."

"그럼 최대한 빨리해. 받을 것도 있으니까."

175

그 말이 끝나고 순간 나는 소름이 끼쳐서 잠시 발을 헛딛어서 넘어질뻔 했고 순간 큰 소리가 나서 건물에 울려퍼졌다. 주진영과 몇일전에 만난 아버지와 어머니가 층을 올려 보았고 문 앞에 있는 현관에 불이 켜졌다. 제기랄 들컸나... 아니 아니다. 안 들컸어. 나는 3층에 멈춰져 있던 엘리베이터를 타고 바로 1층으로 내려갔다. 1층으로 내려가자 마자 나는 근처 택시 정류장에서 잠시 앉아 간단하게 주진영한테 문자를 보냈다. 문자 내용은 기억이 안 나는데 대충 도착 못해서 미안하다는 내용이였다. 주진영한테 문자를 보내고 부모님한테 문자를 보내려고 하다가 의심할 것 같아서 문자를 보내지 않고 택시를 잡으려는 순간 주진영한테 전화가 왔다.

"어 오빠."

"어 민지야. 갑자기 이렇게 약속 취소하면 곤란해."

"어.. 나도 알아. 근데 갑자기 급한 일이라서."

"그래. 알아. 이해하지. 회사 때문에 그렇잖아. 오히려 당일 약속 잡은 내가 더 미안하지."

176

"뭘 그렇게 말하고 그래. 근데 민지야. 혹시 집 근처까지 오지 않았어?"

그 순간 내 몸은 100만 볼트를 맞은 것처럼 소름이 끼쳤다.

"응 무슨 소리야? 나 그쪽으로 가는 버스도 못 탔어."

나는 태연하게 침착하게 말했다.

"아 그래? 그럼 말고."

"알았어. 다음에 만나."

나는 그 말이 끝나자 마자 전화를 바로 끊었다.

"망할 새끼 같으니라고."

나는 전화를 끊으면서 중얼거렸다.

177

양다혜 40화

"아니 주진영 그 새끼는 왜 또 저런데?"

내 여동생이자 지금은 고3에 유치원에서 어린아이들한테 미술을 가르치고 있는 강민지가 소주잔에 소주를 따르면서 말했다.

"그러게 말이야. 내 친구들한테 그 일로 연락하니 바람피운것도 아니고 때린 것도 아니고 그런 이야기 할수 있다고 하던데 너 남친 보니까 얼굴, 키 다 괜찮다고 하던데 이렇게 쉽게 해어지냐고 복에 겨운 소리 그만 하라고 화 내면서 끊더라. 그 이상의 남자를 만날수 있냐는 말은 덤으로 하고. 정말 너밖에 없다. 강민지."

한민지는 싸구려 라이터로 메비우스 담배에 불을 붙쳤다.

"언니 여기 금연 공간이니까 밖에 가서 퍼."

곧 바로 여동생의 잔소리가 나왔다.

"여기도 금연인건가?"

나는 무의식적으로 중얼거리면서 술 기운 때문에 비틀비틀거리면서 밖으로 나왔다. 오늘따라 술이 잘 들어간다. 그만큼 그동안 한이 쌓인 것들이 폭포수처럼 터져나와서 그런걸까? 잘은 모르겠다. 공용빌라의 현관문을 조용히 닫고 아까전에 피려고 꺼내놨던 메비우스 담배에 싸구려 라이터로 불을 붙친다. 오늘따라 니코틴이 더 달게 느껴진다.

다른 선택은 가능한걸까?

지금까지 살아온 방식대신 새로운 방식에 적응하수 있을까?

그리고 나는 그 선택을 할 용기가 있을까?

그런 생각을 하다보니 구역질이 나왔다. 술 기운에 언덕길을 뛰어 어디인지 모르는 곳을 미친듯이 뛰고 나니 내 자신이 매우 취한 상태라는것을 알게 되었다. 시야는 빙글빙글 돌았고 서있는 것만으로도 구역질이 나와서 벼틸수가 없었다. 이윽고 내가 비틀비틀 걸어서 어느 공원에 도착했을 무렵 나는 인내심이 한계에 달했다. 눈에 보이는 공원 가로수 밑동에 얼굴을 처박고 격렬하게 구토를 했다. 양쪽 무릎과 양쪽 손가락에 바보처럼 흙을 묻치면서 손을 부들부들 떨었다.

179

등 뒤에 오랜지 색 비상등이 꺼졌다 켜졌다를 반복하는 걸 보니 실패한 나를 손가락질 하고 비난 하는 것처럼 느껴졌다. 너는 틀렸어. 너는 틀렸어. 비상등이 이런 식으로 말하는 것 같았다. 아까전에 토를 많이 해서 위가 텅 빈 것 같은데 한민지는 계속해서 눈물과 타액을 쏟아냈다.

스스로가 부족하다는 생각이 들고

남들한테 소홀한 대우를 받지

그럼에도 불과하고 진행하려는 결혼이고

남들 다 하니까

누군가의 아내의 삶이 미래였으니까.

"여보세요? 어 나야?"

나는 술 취한 목소리로 내 여동생한테 전화를 걸었다.

180

"언니 술 많이 취했어? 괜찮아?"

"응.. 우웩.. 난 괜찮아.."

나는 토를 하면서 말했다.

"나 이대로 결혼해도 괜찮은걸까? 강민지?"

나는 약간 울먹이는 말투로 말했다.

"솔직하게 말하면 언니 지금 완전히 주저하고 있어. 내가 이 남자를 포기하면 더 좋은 남자를 만나지 못할거라는 두려움에 쌓여서 말이야."

내 여동생은 차분하고 덤덤하게 나한테 말했다.

"언니도 그렇고 그 동안 나도 그렇고 꽤 힘들었잖아. 우리는 남성들의 의해서 가려진 존재들이야. 기대 이상으로 열심히 해야지만 그나마 주목 받고 올라갈수가 있다고. 그게 현실이야."

181

"더 좋은 남자? 더 좋은 차기 남편? 있을수는 있겠지? 세상의 반이 남자니까. 아니면 없을수도 있을거고. 그런데 뭐 하러 그런 위험부담을 언니가 떠안아야 해? 다시 한번 생각해봐. 단 한번이라도 결혼을 안 한 삶을 그려본적이 있는지 말이야."

여동생은 간절한 말투로 나한테 말했다.

"불륜을 저지르고 가정적이지 않은 아버지를 피한다는 이유로 제발 결혼할 남자에 대해서 생각하지 말고 결혼 자체에 대해서 다시 한번 생각해봐. 언니. 내가 이렇게 말한다고 결혼하고 싶으면 하겠지만 그냥 사는거지. 인생 뭐 있어?"

여동생은 또박또박 말했다. 말 한 마디 한 마디에 힘을 주어서

"그래서 이 말이 의미가 없을지도 모르고 동생의 같잖은 잔소리나 오지랖일지도 모르지만 나는 언니가 어떤 선택을 하던 스스로를 깎아 내리지만 않았으면 좋겠어. 의심도 말고."

점점 전화기의 목소리가 선명하게 들린다.

182

"왜냐하면 언니가 자란 대한민국이라는 나라 그리고 여기서 자라고 키워진 여성들은 높은 확률로 과소평가 당했을거니까."

이윽고 전화 소리가 끊어지고 박수 소리가 들렸다.

"짝, 짝, 짝 괜찮아? 언니?"

강민지가 박수를 치면서 말했다.

"인기인 같네. 그렇게 박수를 치니까."

나는 웃으면서 말했다.

"그런가? 아무튼 몸은 괜찮아?"

"응 몸은 많이 괜찮아졌어. 고마워."

나는 작은 목소리로 말했다.

"흠흠.. 그러니까 언니 걱정이 결혼을 하기에는 꺼려지는데 안하기에는 예민하게 느껴지는거고?"

183

"응. 그런거지. 그래서 술 마시고 퍼져서 울고 있는거고. 그나저나 나 어떻게 하냐? 또 남자친구가 눈치주겠네. 또 찾으러 오는거 아니야?"

나는 걱정하는 목소리로 말했다.

그때 강민지의 눈에 누군가의 과거가 떠올랐다.

양다혜 41화

"도도야. 너무 무서워."

어둠 속에서 전에 알고 지냈던 친구의 목소리가 들려온다.

"남자친구가 가끔 술을 마시고.."

이윽고 그녀의 목소리는 점점 흐려진다.

"너가 옆에 있어서 다행이야."

184

그녀는 그렇게 말하고 어둠 속으로 사라졌다. 제기랄.. 제기랄.. 너는 다를줄 알았는데... 언제나 그렇듯이 너는 스스로 너의 인생을 폭력적인 결혼이라는 곳으로 던지는구나. 왜 이러는거야? 그리고 지금 이 상황은 그때와 많이 닮아있다. 소름끼치게.

"듣고 있어? 강민지?"

"어... 미안... 못 들었어.."

나는 얼버부리면서 말했다.

"무슨 일 있..."

그 순간 한민지의 휴대전화에 전화가 왔다. 전화번호를 확인해보니 주진영이었다. 제기랄.. 하필 이때 전화가 오고 지랄이야..

"받아야 하는거 아니야?"

강민지가 핸드폰을 쳐다보면서 말했다.

"아니 예감이 영 안 좋아."

185

나는 그 말만 하고 핸드폰에 전원을 끄고 가방에 넣어놓았다.

"어디 갈래?"

"지금 시간이 몇시인데 어딜 가기는 가?"

"근처 포장마차나 가자. 내가 술 살게."

양다혜 42화

그렇게 서로 이런 저런 이야기를 하면서 걷던 중 문뜩 못 보던 가게가 눈에 들어왔다. 늦은 시간인데도 불구하고 가게의 노란색 레온사인이 눈에 들어왔고 사람들이 북적거리는 소리가 밖에서 들려왔다.

"퀴어들을 환영하는 엘리제를 위해서."

그 매력적인 문구에 희미한 노란색 레온 사인까지 어딘가 마음에 가는 느낌이 들어 잠시 멈춰서 살피기 시작했다. 뭐지 못 보던 바인데? 뭐 어때? 한번 들어가볼까? 라는 생각으로 나는 바의 문을 열었다.

186

바가 원래 이렇게 화려해도 되나?

솔티콕의 짜릿한 감촉을 느끼면서 언뜻 보면 초식 동물의 뼈처럼 보이는 믹스 너트에 손을 댔다. 카운터 너머에 진열된 여러가지 색색의 술 병들을 보면서 나는 기억을 더듬었다. 살면서 동생과 이런 바에 와본 적은 그다지 잘 없었던것 같아서 나는 기억을 더듬었다.

아주 단순하게는 그럴 기회가 없다는 것이 더 이 문장에 맞는 말이겠지만 밖에서 술을 마실때 주로 동료나 친구랑 마셨지. 여동생이랑 마셔본적은 없어서 그런 것일지도 모른다. 그래서 나는 키 높은 의자에 앉아서 다리를 꼬고 일부로 여기에 자주 온 것처럼 행동해보지만 그다지 잘 되는 것 같지는 않다.

먼저 추천 매뉴에 있는 호가든 화이트를 마시고 옅은 복숭아 빛 칵테일 두잔을 시켜서 나와 내 여동생이랑 같이 마신 다음에 마티니 두 잔을 시켜 테이블에 올려놓았다 . 어색하다. 그것도 매우 사람들이 조금 있어서 어색하지 않았을거라고 생각했는데 예상 외로 어색해서 깜짝 놀랐다.

187

그래도 새로운 느낌이 들어서 딱히 나쁘지는 않다. 어색한 분위기는 여동생과 이야기를 하다보니 점점 풀려나갔고 자연스럽게 바텐더랑 이야기를 나누던 와중 나는 술 기운에 아까전에 꺼둔 핸드폰의 전원을 켰다. 제기랄.. 그랬으면 안 됐던건데..

휴대폰을 켜자마자 주진영의 부재중 전화가 한 가득이였다.

"아놔. 진짜 더럽게 전화 많이 걸었네."

나는 술 기운데 그한테 전화를 걸었다.

"야! 너 회사에 없잖아! 너 정말 거짓말 할래! 무슨 일인지 똑바로 안 말해. 전화도 한참 동안 안 받고!! 지금 나랑 뭐하자는건데! 내가 씨발 우스워! 장난치자는 것도 아니고!"

그는 전화를 하자 마자 쌍욕을 하면서 소리를 질렀다. 어찌나 욕을 많이 하던지 평소 욕을 많이 하기로 소문난 나도 기세에 눌릴 정도였다. 결국 나는 내 여동생한테 전화를 바꿔주었다. 여동생은 코를 막고 같은 회사 동료인척 연기를 해서 겨우 위기를 넘길수 있었다.

188

"솔직한 심정으로 언니가 왜 고민하는질 알겠다."

통화를 끊자 강민지는 이렇게 말했다.

"그만 말해도 될 것 같은데 그 이야기는."

나는 한숨을 쉬면서 말했다. 바 안에는 검정치마의 EVERYTHING 음악이 잔잔히 나오고 있고 내 얼굴은 조금 헬숙해져 있었다. 마치 노래 가사의 가삿말처럼. 그래서 그런걸까? 조금은 내 눈가에 눈물도 고여있었다.

"언니 괜찮아?"

그녀가 걱정하듯이 물었다.

"아니 전혀 안 괜찮아."

나는 약간의 눈물 젖은 목소리로 말했다.

"결혼은 어쩌다 결정하게 된거야?"

강민지는 진지한 말투로 물었다.

189

"내가 남자친구를.. 화목해 보여서 좋아했어.."

울먹이는 말투와 끊어지는 문장의 교차점으로 더듬 더듬 회복해가듯이 나는 말했다.

"이거라도 마시면서 해. 언니."

그 모습을 본 강민지는 물 한 잔을 가져다 주었다.

"고마워."

물을 마신 뒤에 나는 계속 이야기를 해나갔다.

"그래서 좋아했어. 화목해 보여서. 사랑 많이 받은 것 같아보여서. 그래서 이 사람이랑 결혼을 결했어. 이 사람이랑 결혼하면 나도 그런 가정을 가질수 있을 것이라고 생각해서.. 어차피 언젠가 할거 나를 가장 아껴주는 사람이랑 하는게 나을것 같아서.."

그녀의 말이 점점 끊어지고 목소리는 작아진다.

"그랬는데.. 동등하게 사랑하고 결혼하는데 왜 기울어진걸까?"

190

나는 한숨을 쉬면서 다시 이야기를 이어나갔다.

"그러자고 계속 버티자니... 나중에 다시 혼자 남을까봐 두려운거죠. 사실 난 겁이 나. 다들 혼자 사는건 힘들다고 하니까.."

그 말을 하면서 나는 유리병에서 점점 녹는 얼음을 봐라봤다.

"넌 결혼 할 생각 없이 잘 살아가는 것 같은데 어떻게 잘 버텼어? 그게 궁금해."

"음.. 버틴 적은 없었던 것 같은데 언니."

강민지는 의외의 답변을 했다.

"그냥 잘 살았어. 잘 살면서. 그런데 이상하게 날 아슬아슬하게 버티는 사람으로 보더라고."

강민지는 웃으면서 잔에 꼬쳐져있는 빨대를 돌렸다.

191

"뭐... 이런건 익숙했으니까. 많이 듣는 말이기도 했고. 머리색이 튄다. 옷 차림이 그게 뭐냐. 그래서 남자랑 결혼할수 있겠냐. 레즈냐. 그러다가 결국 노처녀 된다. 이런 말들 많이 들었어. 그러니까 성격을 바꾸고 숙이고 들어와라. 결론은 항상이거였어. 그런데 정작 내가 뭘 하고 싶은지 무엇을 원하는지는 전혀 들어주지를 않아."

"결혼이고 뭐고 언니가 추구하는 행복에 대해서는 전혀 존중하지 않고 그들이 원하는 방식대로 살아가기를 원하고 그들의 기준에 맞추려고 하다보면 결국에는 아무것도 못 이루고 후회만 남거든."

강민지는 진지한 말투로 말했다.

"좀 그렇지 않아? 언니? 왜 자유롭게 사는 사람한테 잣대를 들리대고 검열을 하려고 하는지? 그냥 여자가 주도적으로 인생을 살아가는게 싫은거야?"

강민지는 한숨을 쉬면서 말했다.

192

"어떤 선택을 하는건 자유지만 언니가 남자친구한테 휘둘려서 억지로 선택을 하지 않은 것이면 좋겠어. 나 입양 처음 왔을때 가장 많이 챙겨준게 언니니까. 상처 받지 않았으면 좋겠어. 이 말은 진심이야."

강민지는 나의 손을 잡으면서 간절하게 말했다.

나는 웃으면서 말했다.

마치 이 상황을 얼버부리려고 하는 것처럼 억지로 미소를 지어보였고 그걸 아는지 모르는지 강민지는 알겠다라고 하고 청포도 사와 하이볼 두 잔을 주문해서 마셨다.

청포도 맛의 톡톡 튀는 맛이 입 안에 가득 퍼졌다.

그것은 마치 우리들의 톡톡 튀는 인생하고도 비슷했다.

그때는 몰랐다. 우리들 사이에 암묵적인 억압이 있을거라는 걸 말이다.

193

양다혜 43화

"세상에는 여자를 사랑하는 여자들이 숨어지내도록 하는 암묵적인 억압이 존재합니다. 이 시대에 그들이 쓴 글이 익명으로 온라인에 남아있다가 시간이 흐르면 기억하기 어렵게 사라지기도합니다. 사포는 레즈비언들의 목소리가 흩어지기전에 담아내는 잡지입니다."

레즈포스 섬에서 사포라는 서정 시인의 모티브를 담은 이름 그대로 레즈비언들의 투고 글을 담은 잡지 사포에 소개글을 일부 읽으면서 은은하게 노란색 빛을 내뱉고 있는 바 아래에서 바삭한 감자튀김을 먹으면서 입양된 여동생과 이야기를 나누고 있다. 파란색 바다가 떠오르는 책 커버에 갈증이 우리를 움직인다. 라고 적혀져 있는 아래의 문구를 보니 어쩌면 그 문구가 나하고 많이 닮아 있다는 생각이 들었다.

나는 지금 아무리 무언가를 마셔도 무언가를 읽어도 정처없이 밤의 빌딩의 빛만이 가득한 광화문을 걸어도 갈증이 체워지지 않기 때문이다.

194

이윽고 책 마지막 부분 우리는 혼자가 아니라를 읽고 있을 무렵 나는 다른 길을 가도 틀린 것이 아니라는 것을 알게 되었다. 금기상황과 주의상황은 분리되지 않았다는 것도 돈 많이 드는 꿈은 가지지도 말고 돈을 벌되 남한테 피해가지 않게 잘 하고 잘하되 잘나지는 말고 꿈을 가지고 앞으로 나아가되 그 꿈은 실용적이여야 한다는 끝없이 반복되는 메세지 그 메세지의 본질은 살아가는 곳마다 나를 지우는 일이였다.

일단 학교만 졸업하면

그리고 스스로 돈만 벌면

그리고 결혼하고 애 한 명 두 명 낳고 나서

그 애들을 학교에 보내고 언젠가 자립할때까지

책임을 지고

그리고 나서 여유가 있을때 무언가를 시작하는거

그것이 나한테 쥐어진 선택지라면

195

그리고 나서 여유가 있을때 무언가를 시작하는거

그것이 나한테 쥐어진 선택지라면

그것이 세상이 정한 룰이라고

나한테 강요한다면

나는 그 암묵적 억압을 찢어버리고 나아가야 한다
는 것을 깨달았다.

양다혜 44화

형태도 감촉도 기억조차 나지 않았던 밤이
빠르게 지나갔다. 어디서 부터 잘못 된 것인지 선택
지를 고를 틈도 없이 시간은 미친듯이 빠르게 지나
가 아침이 된다.

그 기분은 어른이 되기 전까지는 정확하게는 26살
에 곧 4년뒤면 서른이 되는 이 순간까지도 모를 것
같다고 나는 아직도 굳게 생각한다.

196

단정한 회사원처럼 차려입은 검은색 브룩스 브라더스 블레이저에 스치는 사람들의 인연 화려한 색에 마치 트로트 가수에서나 볼 법한 더 정확히 말하자면 조용한흥분색에서나 나올 법한 밝은 핑크빛 폴로 블레이저에 밝은 리바이스 505 청바지 하얀색 스트라이프 폴로 옥스포드 셔츠에 검은색에 하얀색 줄이 그어져 있는 반스 운동화를 신은체 사람이 많은 지하철에서 손잡이를 잡고 서 있는 나이가 젊어보이고 만사가 귀찮을 것 없어보이는 갈색 머리를 한 성별조차 기억나지 않는 사람 등에서 느껴지는 히터의 바람과 얼굴을 사정없이 때리는 수많은 아침의 사람들 사이에서나는 출구를 찾고 있다.

어제 술을 마시고 아침의 만원전차를 타고 광화문으로 출근하는건 언제나 힘든 일이다. 이 고통이 언제쯤 끝날지는 예상하지 못할 것 같다.

그래도 내 삶을 개척해 나가는 행동 자체는 상당히 마음에 드니까 지금까지 3년간 출근해서 벼틴 이유이다.

197

몇 사람 너머에 보이는 입을 닫은 좁은 창문으로 서울의 높은 빌딩들이 물 흐르듯이 지나간다. 겨울이라서 그런지 창문 안에는 김이 서려 있어서 지금이 겨울임을 실감하게 해준다. 몸만 자란 26살의 어린 꼬마인 나는 그런 풍경들을 하루에 못해도 몇백 번씩 보지만 언제 봐도 새로운 느낌이 든다. 마치 내가 이 서울이라는 도시에 압도 당하는 느낌이랄까...

차체가 천천히 오른쪽으로 꺾기자 김 서린 창문 사이로 복합빌딩과 거대한 고층 빌딩들이 보인다. 나는 그 광경을 멍안히 아무 말도 하지 않은체 봐라본다 천천히 숫자를 세다가 이윽고 8이 되었을 무렵 쿠쿠쿵 하는 소리가 들렸고 차량 전체가 오래되서 그런지 아니면 충격이 강해서 그런지 벌벌 떨렸다.

그 소리에 창문으로 눈을 돌리자

창문 바로 옆에서 다른 일정의 열차를 타기 위해서 기다리고 있는 반대쪽 플렛폼의 모습이 마치 필름의 한 순간처럼 유리에 반사되어 빠른 속도로 지나간다. 늘 똑같은 타이밍이지만 그래도 좋다.

198

광화문-광화문-

알림 방송과 동시에 사람들의 인파에 떠밀러 플렛폼으로 나와 포시즌스 호텔 근처로 나온 나는 심호흡을 해 겨울의 차가운 공기를 마신다. 이윽고 건널목 보행자 신호가 빨강불에서 초록불로 바뀌자마자 수많은 사람들이 인파 속에서 자신의 목적지로 향하고 있었다. 언제봐도 적응되지 않지만 신비한 미지의 세계와도 같은 장면이다.

그 수많은 인파를 거치고 무의식적을 광화문의 스카이라인을 보다가 걸음이 늦어지자 나의 등에는 수많은 사람들이 부딪쳤다. 한 나이 든 직장인이 끌끌 거리는 소리를 내는 것을 무시하면서 나는 그저 2초 정도 광화문의 오래된 KT 지사 건물을 쳐다봤다.

아득하게 먼 곳에 공기를 겨울의 날씨가 가져다 주고 있었다. 이런 날에는 정처없이 스타벅스에서 뜨거운 커피를 테이크 아웃해서 마시면서 돌아다니는 것이 제일 좋은 일이지만 그러지 못하는 현실에 나는 옆에 있는 조국일보 건물에 들어갔다.

199

평소처럼 사원증을 찍고 1층 로비에 있는 엘리베이터에 탔다. 이 엘리베이터 안에는 다양한 인간구성이 존재한다. 방금전에 다른 듯한 수제 파란색 와이셔츠와 부드러운 케시미어 재질의 빨강색 넥타이에 잘 맞는 회색 정장을 입고 머리에 정숙하게 포마드를 바르고 갈색 수제 구두를 신고 손목에 의외로 브라이틀링 가죽 스트립 네이타이머를 찬 남자부터 허둥지둥 엘리베이터에 탑승한 신입으로 보이는 사원, 빌딩을 청소하는 미화원 아주머니, 그리고 한 층 한 층 엘리베이터 문이 열릴때마다 각자의 목적지로 향하는 기억조차 나지 않는 사람들, 이상하지만 그렇다고 전혀 이상하지도 않은 그러한 조합들 사이에서 이윽고 내가 누른 층이 열렸다.

나는 깊게 숨을 내쉬고 갑옷을 입은 전사들처럼 무겁게 앞으로 향했다. 사무실에 들어가 시계를 보자 그다지 늦게 도착하지는 않았다.

30분 정도 시간이 남았고 그 사이 나는 내 책상에 앉아서 컴퓨터로 오늘 집중적으로 다뤄야 하는 헤드라인 정치 뉴스들에 대한 소식을 보고 있었다.

200

"한민지씨. 미팅 준비하게 회의실로 들어와요."

뉴스를 보고 기사를 적는 와중에 상사가 나를 불렀다. 나는 간단하게 상사한테 브리핑할 자료를가지고 회의실로 향했다. 꽤 큰 회의실이였고 안에는 몇 명의 정장을 입은 사람들이 테이블 왼쪽 의자에 앉아있었고 나는 정가운데에 있는 의자에앉았다. 방안에 분위기는 평소에 하던 미팅이라고 할수 없을 정도로 차가웠다.

"민지야. 너는 왜 나랑 결혼하려고 해?"

아까전에 등을 돌리고 가운데 의자에 앉아있었던 남자가 바로 의자를 돌리고 내 눈을 봐라보면서 말했다.

"너가 하자면서.."

나는 그 질문에 얼버부리듯이 말했다.

"너는 아들을 몇 명이나 낳아줄수 있니?"

"아. 아빠 민지는 그런거 싫어한다고요. 직접적으로 말하지 마요."

201

뭐. 어떠냐. 어차피 해야 할 일인데."

"민지야. 아버지 말 신경 쓰지마."

그는 웃으면서 말했다.

"맞아. 신경 쓰지 말거라."

곧 이어 중년의 여자가 내 어깨를 잡는다.

"우리 새 아가는 굳이 말 안해도 잘 알거 아니까."

그 중년의 여자는 얼굴에 약간의 미소를 띄고 있었다.

"우리 아들이 이렇게 참하고 고은 여자를 만나서 다행이야."

꿈을 꿨다.

그 꿈은 나를 판결을 기다리는 죄수처럼

평가를 받는 면접장의 지원자처럼 만들었다.

이윽고 그 꿈에서 깨어났을때 나는 과거와 다른 사람이 되었다.

양다혜 45화

"아예는 아니겠지. 나도 물론 너를 도..."

주진영이 잔잔한 음악과 함께 스테이크를 썰면서 말했다. 내가 말하고 나서도 거짓말 같은 말이다.

원래 드센 여자는 고분고분하게 이야기를 해야 말을 듣는 법이니까.

"주진영 있잖아."

한민지가 나이프를 들고 있던 손을 멈추고 나를 봐라봤다. 진지한 말을 하려는 사람처럼 그리고 그녀는 또박또박한 목소리로 말을 이어나갔다.

작심한듯 무언가를 말하려고 하는 것 처럼

"나 혼자 사는 집인가? 나 혼자 기르는 아이야?"

달짝지근한 레드 와인의 힘을 빌려서 나는 말했다.

"하지만 사회적으로는..."

"그래. 오빠는 사회적으로 도와주기만 해도 1등 남편이겠지. 나는 살림에서 조금만 눈을 돌려도 못 된 여자이고 못된 년일거고."

한민지는 헛 웃음을 지으면서 말했다.

"맞아. 오빠 말이 다 맞아. 사회의 시선이 그런걸 어쩌겠어. 그런데 왜 오빠는 집안일 별로 해본 적 없어. 나도 없어. 또 오빠가 직장 그만 두기 싫은 만 큼 나도 놀기 싫어. 어떻게 내가 공부해서 직장에 들어갔는데."

한민지의 말투는 점점 직설적으로 변해갔다. 지금 까지 쌓여있었던 불만을 포현하듯이 그녀의 목소리 는 조금 떨려있었다. 두려움도 조금 있었으니까. 그 것을 부정할수는 없다. 더 이상 이대로는 살고 싶지 않다.

"다 약속한 것처럼 여자 임금을 낮게 주네."

마치 여자 혼자 독립하지 못하게 제동을 건 것 처 럼. 반드시 남자랑 결혼해서 가정을 이루고 동시에 가정을 이룬 남자들의 뒤를 탄탄하게 만드는 일만 하지.

204

사회에서 배제당한 자신의 경쟁력을 남편에서 찾고 가정 자체를 여성의 생존권으로 만들어 이혼을 두렵게 만든다.

그렇게 약자를 더욱더 약자로

강자를 더욱더 강자로 만든다.

"제일 좆 같은게 뭔 줄 알아?"

한민지는 헛웃음을 지으면서 말했다.

"사람들은 남편이 아무리 친절하고 다정해도 나한테는 아이의 성 하나 주지 않아. 남편이 너한테 하는 만큼 똑같이 해봐. 아주 가끔씩 생색 내듯이 시댁에 가서 소파에 앉아. 마치 거지 같은 한남처럼."

점점 그의 얼굴이 일그러지기 시작한다.

"그리고 그냥 앉아서 나오는 음식을 먹기만 해. 그것만으로 반응이 바로 나올걸. 그게 현실이야."

나는 스테이크를 썰면서 말했다.

"오빠. 그거 알아? 부당함이 정상이 되는 가장 쉬운 방법은 모든 여자가 다 비슷한 삶을 살아서어디를 둘러봐도 그게 평균이 되는거래. 그래서 두려워. 결혼을 한 뒤에 내 삶은.."

그녀가 울음을 터트리면서 말했다.

"정말.. 아무 것도 없을 것 같거든.."

그녀가 눈물을 닦고 다시 와인을 마신 다음에 말을 이어나갔다.

"더 재미있는건 뭔 줄 알아? 정작 사람들은 남편이 발로 뛰어서 문제를 해결하면 칭찬을 해주겠지만 내가 하면 지극히 당연한 일로 여긴다는 거야."

그녀가 쓴 웃음을 지으면서 말했다.

"왜냐하면 너가 하는건 친절한 남편의 사례지만 내가 하면 그저 당연히 해야하는 인간의 도리거든. 물론 안 그런 집도 있고 극소수의 일이라고 볼수 있어. 하지만 본질적인 인식이 달라. 남편이 집안일을 하는건 특별한 일이지만 아내가 집안일을 하는건 매우 정상적인 일이거든."

206

"벌써 두 성별에 대한 기대치가 다르거든. 좋은부인 좋은 배우자로 인식되는 성별의 기대치가 달라. 그게 불평등의 초석인거고. 오빠가 남편이 되어서 나한테 다정하게 한다고 해도 그건 절대 달라지지 않아."

나는 결심하듯이 그저 주저리 주저리 말을 내뱉었다.

"우리 이제 끝이야. 완전히."

나는 그 말만 하고 바로 자리를 떴다.

양다혜 46화

오랫만에 기분 좋은 꿈을 꾸었다. 그 꿈 속에서 안소영은 양다혜와 함께 가장 좋아하는 장소에 와있었다. 예전에 그녀의 집에서 카탈로그로 보았던 넓은 들판에 소박한 오두막에 작은 전등을 키고 밤 하늘에서 별이 떨어지는 풍경을 멍안히 봐라보는 내가 꿈꾸는 삶 말이다. 한참 꿈에 빠져 낭만적인 와인을 한 잔 마시고 키스를 할 무렵 그때 갑자기 쾅 하는 굉음이 들렸고 그 소리에 안소영은 외 마디 비명과 같이 쇼파에서 기지개를 펴면서 일어났다.

207

"아 꿈이구나.."

나는 혼자 중얼거렸다. 아까전에 쾅 하는 소리는 양다혜가 요리를 하다가 바닥에 무언가를 떨어트리는 소리였다. 자세히 보니 베이컨과 마늘이 들어있는 바구니였다.

"어 깼어? 안소영?"

다혜는 웃으면서 떨어트린 음식 재료를 손에 쥔체 말했다.

"응 아침부터 무슨 요리를 하려고?"

나는 눈을 비비면서 말했다.

"뭐긴 뭐야. 너가 좋아하는 크림 스파게티 하려고 하지."

오늘따라 그녀 특유의 보라색 눈동자가 빛난다. 어쩌면 이 시간이 이 순간이 마지막일것 같다는생각이 들어 더 그런 것 같다. 그래서 그런지 내 눈에는 무의식적으로 눈물이 고였다. 적어도 이런 추한 모습은 보여주기 싫은데. 적어도 그녀 앞에서는 조금이나마 행복한 미소를 짓고 싶은데.. 그것이 안되는 내 자신이 그저 원망스러울뿐이다.

"괜찮아?"

양다혜가 걱정스러운 말투로 묻는다. 그 말에 나는 억지로 힘을 내서 눈물을 멈추려고 하지만 잘 되지 않는다. 무엇이든지 잘 되지 않는 날이 많이 있었지만 오늘처럼 잘 되지 않는 날은 흔하지 않은 것 같다.

"응 괜찮아."

나는 억지로 울먹이면서 말했다.

"있잖아. 소영아. 너 돼지 알지? 평생 사육장에서 햇빛조차 보지 못하고 어두운 사육장에서 사는 돼지 말이야. 그런 돼지가 언제 하늘을 보는 줄 알아? 한번 넘어질때 그때 하늘을 보는거거든."

다혜는 안소영한테 휴지를 가져다주면서 말했다.

"그러니까 너무 고통스럽더라도 힘들더라도 너 자신을 포기하지마. 나도 너를 포기하지 않을거니까. 우리는 그저 넘어진것뿐이야. 실패한것이 아니라."

209

다혜는 안소영을 안아주면서 말했다. 그때 양다혜는 강해보였지만 조금은 몸이 떨리고 있었다. 그 모습에서 나는 미약하지만 앞으로 나아가려는 약하지만 강해지려고 다짐한 한 사람의 모습을 보았다. 그래. 그 모습이 지금까지도 나를 앞으로 가게 만드는 것 같다. 넘어지고 만신창이가 되어도 끝끝내 일어나서 앞으로 가는 모습 말이다.

그 모습이

자기 자신이 만신창이가 되어도

끝끝내 일어나서 다시 뛰어보려는 모습이

당시에는 나 안소영한테는 없었고 그저 주저앉아 희망 없이 하루를 때운다는 느낌으로 살아갔기 때문에 더더욱 인상깊게 보였고 내 자신도 이렇게 되어야 한다는 강한 믿음이 생겼다.

그래 이제 앞으로 나아가는 거야.

과거의 겁쟁이는 이제 더 이상 안녕.

210

양다혜 47화

내가 절대 쫓아갈수 없는 속도로 어른이 된다. 최근 나의 상태를 보면 딱 떠오르는 말이다. 남들이 보기에는 별거 아닌 것 같지만 나는 서서히 그러나 조금씩 어른이 되어가고 있다. 그건 부정할수 없다. 마치 종이에 검은색 물이 조금씩 스며들듯이 말이다.

"안소영 너가 다음달에 몇살이 되더라?"

스파게티 면을 포크로 밀면서 양다혜는 말했다. 그렇다면 이제 곧 20살이 된다는 것이다. 생각해보니 우리가 2년간 많은 일들이 있었다는 생각과 함께 아이스박스에 넣어놓았던 화이트 와인을 한병 꺼내 와인잔에 따랐다.

정말 세월은 순식간이다.

나도 안소영도 많이 변했으니 말이다.

2년전 검은색 긴 머리의 아이는

2년후 주황색의 짧은 숏컷이 되었고

211

전혀 함께 할것라고 예상하지 못했던 우리 둘은 지금 이렇게 한 식탁에서 스파게티와 와인을 마시고 있으니까

생각해보면 이상한 조합이다.

재벌집 2세 따님과

시궁창에서 몸을 팔려고 했던 소녀

전혀 만날 일도

사랑을 할 일도 없는 이 두명이

남남의 관계에서 피난의 동지가 되었으니 말이다. 그런 생각을 하면서 양다혜는 웃음이 나왔다.

"왜 웃어?"

안소영이 이상한듯 나를 쳐다보면서 말했다.

"그냥 이것도 꽤나 신기한것 같아서 전혀 안 만날 것 같은 조합의 사람들이잖아. 우리 근데 지금은 같이 평화롭게 앉아서 와인을 마시고 있는게마치 우리가 하나의 선으로 연결된게 신기해서 말이야."

양다혜의 그 말에 안소영은 얼굴이 점점 빨개지기 시작했다.

아마 이런 말에 그녀는 아직 익숙해지지 못한 것 같다.

"안소영. 넌 처음이나 그때나 똑같네."

다혜가 웃으면서 말했다.

"너가 너무 직설적인거거든."

안소영은 어린아이처럼 삐진 말투로 말했다.
"그런가? 아무 생각도 없이 무모할 정도로 달려가는 것이 나의 매력이잖아. 안 그래?"

다혜는 웃으면서 말했다. 하긴 이런 면은 그녀의 매력적인 면이지.

그래도 언젠가 끝난다는 건 알아.

나는 도망자 신세이고

사냥꾼한테 쫓기는 사냥감 같은 존재니까.

213

양다혜 48화

전쟁 중에도 뜨겁게 달아 올랐던것이 하나 있는데 그것은 연인의 사랑이라고 어느 소설가가 말했던 내용이 기억이 난다. 그 말을 증명하듯이 우리는 폭풍전야도 아닌 형태를 알아 볼수 없는 듯한 방금 전 알콜로 인해서 흔들리는 눈동자에 서로를 의지하면서 열기를 나누었다.

"잠깐만.."

침대 끝에 앉아있는 자세가 불편해서 다혜를 살짝 밀어냈다.

다혜는 웃으면서 내 머리 위에 살짝 키스를 했다.

그 키스가 얼마나 달콤하던지

"오늘은 내 마음대로 할 거야."

안소영이 당당한 말투로 말했다. 그러자 다혜는 말 대신 갑자기 안소영의 입으로 혀를 넣었다.

214

갑작스럽게 들어온 혀에 나는 놀랐지만 이 팽팽한 자존심 싸움에서는 지고 싶지는 않았기 때문에 아무렇지 않은 척 그녀의 도전에 흔쾌히 응했다.

"오늘은 꽤 하네. 예전에는 부끄러워 하더니."

다혜가 웃으면서 말했다. 그 말에 자극을 받은 안소영은 약간의 반항심을 보여주기 위해 오히려 보란 듯이 그녀의 허벅지를 타고 앉았다. 아랫 입술을 질끈 깨물고 그의 목을 두 팔로 안으니 다혜는 눈치 빠르게도 그녀가 입고 있던 밝은 리바이스 501 청바지를 벗었고 나는 내 왼손을 안으로 집어넣었다. 질척거리는 느낌에 그녀의 중지가 미끄러져 내려갔다. 이 모든 상황이 재미있다는 듯 웃으면서 봐라보는 다혜의 보라색 눈동자를 마주한체 허리를 위 아래로 움직였다.

나 스스로 쾌락을 탐하는듯한 행동에 이전과 다른 무언가 설명할수 없는 느낌이 온 몸을 휘감는다.

더 자극적이고 더 이상한 기분

소리가 울려서 숨을 참을때는 언제이고

215

내 허리 움직임에 따라서 다혜도 손가락에 힘을 줘 내 벽을 자극했다.

"읏.. 다혜야..."

평소의 다혜답지 않게 오늘은 힘 조절이 잘 되지 않는다. 그래서 그런지 자극이 더욱더 강하다. 그녀의 목덜미에 얼굴을 파묻고 일부러 더 제대로 들으라는 듯 신음을 흘리니 그녀는 나를 쳐다보면서 웃었다.

"그래도 꽤 대범해졌네. 나를 리드하려고 하다니."

다혜가 내 머리를 쓰담으면서 말했다.

"그런데 아직 멀었어."

그 말이 끝나자 그녀의 손가락이 깊숙히 들어왔다. 잠시 몸을 숙여 이 상황을 피해보려고 하지만 손가락의 자극은 점점 더 커졌고 나는 손가락으로 신음 소리를 막으려고 했다.

"벌써 갈것 같아?"

216

그녀가 내 손을 자기 손으로 고정하면서 말했다. 나는 부끄러워서 제대로 대답을 하지 못했다. 뒤늦게 수치심이 몰려왔다. 겨우 손가락 2개다. 겨우 그것에 물이나 질질 흘리고 있다니. 심지어 정오가 갓 지난 대낮에 무슨 바람이 들어가서 알몸으로 성관계를 하고 있다는 생각이 들었다. 하지만 부끄러움도 잠시 다혜는 나를 자극하듯이 입술을 살짝 벌렸다. 그 의미가 무슨 의미인지 아주 잘 알기 때문에 나는 다혜의 양쪽 볼에 잡고 입 맞췄다. 다혜의 손이 들어가고 나는 절정을 맞이하면서 신음을 냈다. 하지만 내 혀를 빨아들이는 그 숨결에 신음은 차마 입 밖에 나오지 못하고 오히려 다혜가 받아 먹었다.

"읍.. 홋.."

눈이 감기면서 전신에 파도가 치듯이 근육 하나 하나를 통제할수가 없게 된다. 그녀가 입을 떼고 나서 나는 숨을 고르면서 스스로 옆으로 무너지듯이 침대에 누었다.

"그런데.."

몸에 감각이 하나 둘씩 돌아올려는 무렵 다혜는 나한테 물었다.

217

"이제 앞으로 어떻게 할거야?"

비현실적인 쾌락을 뒤로 하고 만난 현실, 앞에 있었던 일들은 그저 하나의 꿈으로 사라졌다. 안소영은 잠깐 고민하다가 내 옆에 눕더니 조금만한 목소리로 말했다.

"그러게. 그냥 우리 죽은 체 이대로 살까?"

불가능한 이야기, 바보 같은 이야기, 쫓기는 주제에 퍽이나 낭만적인 이야기라고 따져 묻고 싶지만 그러기에는 너무나도 달콤했다. 나는 쓴 웃음을 지으면서 말했다.

"우리가 과연 그럴수 있을까?"

떨리는 목소리로 다혜가 말했다. 이제는 눈치 챘으면 좋겠어. 더 이상 멀리 갈수 없잖아. 안소영. 언제까지 도망칠수 있겠어? 저들은 끈질기게 끈질기게 우리를 찾아낼텐데.. 그 이상 도망치는게 가능할까? 라는 마음을 담아서 한 마디 한 마디 끊어지고 퓨즈가 나간 형광등처럼 점점 다혜의 목소리는 작아졌다.

218

"난 가끔씩 그렇게 생각했어. 소영아. 과연 처음 그 모텔들이 가득한 골목에서 너를 구하지 않았더라면.."

다혜의 말이 점점 끊어지기 시작했다.

"그 대신 어디든지 좋으니 다른 곳에서 만났더라면..."

그녀의 보라색 눈동자는 눈물로 가득 차있었다.

"그랬더라면.. 그랬더라면.. 조금은 달라졌을텐데..."

감정이 점점 올라온다.

제기랄...

이러고 싶지는 않은데...

그렇게 마음 속으로 다짐하면서 정작 그렇게 되지 않는 내 자신을 원망하고 또 원망하고 또 원망할뿐이다.

219

양다혜 49화

지나치게 피로를 느껴도 잠이 오지 않을때가 있다. 사랑하는 사람하고 잠이 들때는 그런것따위는 없는데... 라는 생각이 들지만 어쩔수 없다. 안소영은 이미 루비온 강을 건넌 아이니까 말이다. 결국 나는 새벽에 침대에 누어서 잠을 자려는 대신 눈을 비비고 일어나 멘션 창 밖에서 담배를 피웠다. 오늘 따라 겨울 바람이 차갑고 메서웠다.

창 밖에 오래 있지는 못하겠구나. 라는 생각이 들어 네이비 색 폴로 가디건을 가지고 와 하얀색 자라 티셔츠 위에 입었다. 슬리퍼를 신지 않아서 바닥에 차가운 느낌이 온 몸에서 느껴진다.

그날 그 밤이 지나고 안소영은 다음날 경찰에 자수를 했다. 자기가 아버지를 죽였다고 차분하고 또박또박한 목소리로

몇 분뒤 경찰차가 재개발 지역에 도착했고 안소영은 수갑을 찬 채로 경찰차에 탔다. 그때 그녀의 표현은 잘 기억나지 않는다. 아니 그다지 기억하고 싶지 않다는 것이 더욱더 정확한 단어겠지..

220

모든 걸 포기하고 운명을 받아드린 것일까?

안소영의 눈빛은 평소와 다를 것이 없었다.

아니 오히려 더 평온했고 마지막에 웃기까지 했으니까.

그 경찰차에 연행 되어가면서 보여줬던 모습은 지금도 잊을래야 잊을수가 없다. 아니 적어도 내가 눈을 감는 그 순간까지도 잊어지지가 않겠지.

적어도 그녀가 나한테 보여준 마지막 모습은 아름답고 깔끔했고 오히려 명예로웠다.

양다혜 50화

미지근한 물 한 잔과 수면제 알약 하나 떨지 않게 간신히 손에 든 수면제 알약을 물과 함께 삼켰다. 나는 알약을 삼키고 쇼파 한 구석에 잠시 누웠다. 오늘따라 잠이 오지 않는다. 그렇게 누어있는 동안 나는 생각이 들지 않았다. 그저 멍안히 점점 열어 놓은 커튼으로 햇빛이 들어오는 것만 봐라볼뿐이였다. 사랑은 언제나 이상하다. 가까이 있을때는 아무것도 모르지만 정작 떨어져 있으면 불안감과 초조함이 나를 흔적도 없이 찐득찐득한 검은색 괴물이 나를 삼킨다.

후회감이 든다.

과연 내가 소영이의 제안을 수락했다면

그녀와 같이 평생 도망자 인생을 택했다면

이런 감정은 없었을 것이라는 생각도 든다.

하지만 이미 늦었다.

아무것도 생각하지 않고 떠날 곳은 없다는것을 소영이나 나나 잘 알고 있으니까

그래서 그런걸까?

우리는 더욱더 간절하게 서로를 원했던 것일지도 모른다. 어느 소설가가 말한 것처럼 영원이라는 믿음은 어떤 강한 시련 앞에 무너지는 것이라는 흔하디 흔한 사랑 이야기처럼 될걸 알았기 때문이다.

결론부터 말하면 그 말이 맞다. 아무리 강해보이는 사람처럼 보이려고 노력해봐도 나도 안소영도잘 되지 않았고 영원이라는 믿음은 강한 시련 앞에서 마치 종이가 구겨지듯이 구겨져 지금 쓰레기통에 처박혀 있으니까. 좋든 싫든 그게 현실이니까.

222

차라리 지금 이 순간 취하기라도 하면 나은데 그렇다면 너를 조금이라도 잊을수 있는데

누군가의 마음이 되는 대신

처음부터 다시 시작할수 있는 기회 따위가 없다는 것을

지금이라도 받아 드려야 하는데

그랬더라면 조금은 편안했을까?

진실은 잘 모르겠다. 다만 한 가지 확실한건 있어.

내가 너를 진심으로 좋아했고 지금도 그렇다는 거야.

언제나 사랑했어.

안소영.

그 말 한 마디를 혼자 중얼거린 다음에 나는 쇼파에서 잠들었다.

223

양다혜 51화

무엇에 진심이였나

무엇을 얻고 싶었나

지금 잠시 힘든건 감기 같은 것이라고

계절이 바뀌면 일상적으로 걸리는 것이라고 괜찮아, 괜찮을 거야. 태풍이 지나가면 더 파란 하늘이 나타나는 것처럼 괜찮을거야.그런 믿음을 그런 소망을 가지고 앞으로 나아가는거야.

양다혜 52화

따져보니 일본에 그것도 히로시마에 가게 되는건 처음이다. 사실 관계를 정리하다보면 전부 내 탓이라고 할수 있겠지. 내가 무모한 짓으로 우리 집안에 먹칠을 했다고 사랑에 눈이 멀어서 사창가에서 만난 남자도 아닌 여자아이랑 같이 살았고 그녀가 범죄자인걸 알면서도 감춰줬으니까.

224

그 사건이 대충 수습된 이후 나는 아버지에 의해서 히로시마로 보내졌다. 한인들이 많은 오사카나 도쿄 같은 곳으로 가고 싶다고 했지만 아버지는 한인들이 많은 곳에 또 간다면 또 다시 사고를 친다고 생각한다고 해서 고등학교를 졸업하자 마자 바로 이사짐과 히로시마로 가는 항공기 티켓을 강제로 내 손에 쥐어주었다.

이사짐이 다 정리가 되고 나는 회색 벤츠 AMG-GT-R에 시동을 걸고 겨울 바다로 향했다. 따지고 보니 어렸을때나 지금이나 나는 바다에 간 적이 없다. 밑도 끝도 없는 바다의 크기에 압도당해서 그런 건지는 아니면 그냥 내 자신이 바다에 가는걸 싫어해서 그런건지는 잘 모르겠지만 말이다. 아마 전자이든 후자이든 간에 그런건 상관없다. 지금 내가 바다에 와있으니 말이다.

바다 위에는 겨울 특유의 묵직한 구름이 껴져있었다. 마치 그 모습이 거대한 물고기가 누어 있는 것 같아서 그 스케일에 가슴이 조금 두근거렸다. 나는 그저 지상에 마주보고 있는 물고기들의 배 부분에 은은하게 보이는 바다를 눈으로 보고 있었다. 바다에 맞닿아 있는 구름의 색깔은 바다 위에 떠있는 작은 섬들과 잘 구분이 가지 않았다.

닫힌 하늘 아래로 보이는 아침 바다는 거대한 사막처럼 보였다. 그 모습은 마치 멈춰져 있어서 도저히 바닷물로는 보이지 않았다. 그 사막을 걷는다는 상상을 하면서 이렇게나 넓다니! 같은 생각으로 다시 한번 설랜다. 바다는 내가 생각했던 것보다 넓고 다채롭고 신비한 곳이다. 이런 곳을 내가 왜 싫어했을까? 어쩌면 풍경이 사람의 마음을 만드는거야. 나는 그렇게 생각했다.

조금이라도 더 일찍 소영이와 함께 이런 풍경을 같이 봤다면 어땠을까? 같은 생각이 들었다.

양다혜 53화

"잠깐 떠나는거야. 영원히가 아니라."

내 마음 속의 불안감, 처음 가는 장소의 긴장감을 스스로 떨쳐내려고 내 마음에 최면을 걸었다. 그래 그게 몇 배는 이 상황을 쉽게 받아드릴수가 있으니까, 그래도 그 불안감은 잘 떨어져나가지 않는다. 오히려 더 끈적해져서 나를 붙잡는다. 히로시마로 향해가는 비행기 안에서 그저 창문만을 봐라보면서 그런 생각을 했다.

226

바로 히로시마로 가는 비행기는 없어서 잠시 경유를 위해서 비행기는 도쿄 하네다 공항에 멈췄다. 다행이다. 우울한 비행기에 오래 있는건 딱 싫으니까. 답답하기도 하고.

홋카이도로 가는 편이 기체에 문제로 취소가 되어서 공항에는 꽤나 한국인들이 많았다. 일본어 대신 더 자주 들리는 한국어가 내가 느끼는 긴장감에 박도를 더했다. 하긴 한국인뿐만 아니라 안소영이랑 같이 산 2년동안 우리는 거의 숨어 살았으니까 사람 자체가 두렵다는 말이 더욱더 맞는 말이겠지.

히로시마로 가는 비행기를 타려면 아직도 네 시간이 남았다.

나는 공항에 작은 바로 들어가서 아사이 맥주를 주문했다. 생각해보니 성인이 되어서 당당하게 바에 들어가 술을 마신 적은 이번이 처음이다. 그 동안은 몰래 어른인척 하고 술을 마셨으니 말이다. 안소영과 헤어진 이후 억지로라도 정신을 차리기 위해서 술을 입에 대지 않아서 그런지 조금만 마셔도 금방 취한다. 그래. 마시고 푹 취해버리자.

227

히로시마에 도착하면 하루가 거의 다 지나있을텐데 그때까지 온 몸의 긴장 상태면 몸이 망가질테니까

소영이가 소년원에 들어가고 나서 내가 고등학교를 졸업할때까지 6개월의 짧은 기간동안 나는 아버지 몰래 그녀와 편지를 나눴다. 그 편지들에는 우리가 하고 싶었던 이야기를 솔직하게 한 자 한자 옮겨서 적었다. 처음에 편지를 보낸 건 나였다. 그녀가 출소한다면 같이 조용한 오두막에서 평범하게 와인을 마시면서 밤 하늘을 보고 싶었으니 말이다.

그 아이가 내 꿈에 진지하게 답변해줘서 힘든 수감 생활 중에도 이렇게 꾸준하게 편지를 보내줘서 나는 진심으로 기뻤다. 적어도 내가 히로시마로 강제로 떠나게 될때까지는 나는 그녀가 출소한다면 같이 하고 싶었던 소소하지만 우리들한테는 중요한 일들을 구구절절하게 이야기했다. 같이 벚꽃 축제에 가거나 고급 호텔에서 빙수를 먹는다던지 같은 집에 살면서 커플 잠옷을 입고 에스프레소를 마시면서 책을 읽는다던지 그런 소박한 소원들 말이다.

228

아마 나도 안소영도 그런 일들이 당장 불가능 하다는 걸 알았을까?

말은 안했지만 편지를 주고 받는 횟수는 점점 줄어들었고 결국에는 그 편지조차도 끊어지게 되었으니까 말이다.

그래도 어쩔수 없다. 마음 속으로 그녀가 잘 지내기를 바랄수 밖에는 마지막으로 편지를 보내고 받았을때 그때 적었던 둘의 이야기를 기억하고 있는지 잘 모르겠다. 하지만 적어도 그 이야기는 나한테는 굳은 약속이다.

누군가한테는 별거 아닌 일이지만 나한테는 그녀한테 거대한 모험 같은 일이니까.

양다혜 54화

너무 소중한 사람이라서 잊지 못하고 마음 속에만 간직했는데 어쩌다 보니 그 참는 감정이 익숙해졌고 점점 그 사람이 희미해져간다. 하나 확실한건 내가 안소영을 아꼈다는 감정뿐이겠지.

긴 경유 시간을 거치고 비행기가 히로시마에 도착했을때 나는 그런 생각을 했다. 솔직히 두렵다. 내가 안소영이라는 아이를 잊고 다시 그녀를 몰랐던 날들로 돌아가는 것이 그녀가 준 다정함과 따뜻함을 잊는다는 것이 두렵다.

차라리 그런 감정 따위를 애당초부터 몰랐더라면 좋았을거라는 생각도 들었다.

처음 우연을 가장해서 너를 만나려고 들어간 사창가에서 사랑이라는 충동의 감정에 눈이 멀어 그런 행동만 하지 않았더라면 이후의 결과는 어떻게 되었을까? 이런 애린 감정 따위는 없었겠지.

허나 확실한건 한 가지는 있어.

소영아. 너는 나를 바꿔놨어.

어떤 말로 표현해야 할지는 모르겠지만 좋든간 싫든간 너는 나를 바꿔놨어.

비가 온 뒤에 땅이 굳어지듯이 너도 나도 다른 길을 가야만 하겠지.

230

언제 너를 만날지는 모르겠지만 너가 행복하기를
바래.

양다혜 55화

정말 최악이야.

이게 뭐하는 짓이야?

주위 사람들이 나를 보면서 조롱하고 멸시하는 꿈
에 아무것도 못하고 그저 울기만 하다가 일어났다.
핸드폰을 확인해보니 6시다. 아마 4시간 정도 잤
나.. 나는 찌뿌둥한 몸을 피고 하품을 하면서 일어
났다.

평소였으면 더 잤겠었지만 아까전 꿈이 너무나도
생생해서 더 이상 잠을 자지 못할 것 같아서 바닥에
널려져 있는 옷 중에 조금 따뜻해보이는 짙은 초록
색 얇은 폴로 가디건을 입고 베란다로 나갔다.

"넌 실패작이야."

"너무 역겨워."

"여자들끼리라니 너 장난 치는거지?"

231

싸구려 라이터로 럭키 스트라이크 담배에 불을 붙치면서 아까전 꿈에 나온 이야기들이 떠올랐다. 안소영이 감옥에 가고 내가 학교에 돌아왔을때 내 책상 위에 아니면 내 면전에서 사람들이 내뱉은 말이다. 누군가의 삶에 대해서 혹은 가치관이나 그 사람이 어떤 마음이였는지도 그리고 그 사람이 그 말을 들으면 어떤 느낌일지도 전혀 생각하지 않은체 마구 마구 자기들의 즐거움을 위해서 내뱉는 말.

그 말들은 결국 나를 학교에 나오지 못하게 만들었고 끝끝내 졸업식에도 나오지 못하게 만들었다. 그리고 일본에 온지 3달째 되는 나를 계속 갉아 먹고 있고.

누군가가 말했던가 혐오는 달콤하고 누군가를 사랑하는 것은 정말 어려운 일이라고. 아마 우드파크 책에서 나온 말이였던걸로 기억하는데 어느 순간부터 사랑과 혐오 중에서 사랑이 더 힘이 세다고 생각했지만 그것 역시 내가 틀렸다는 생각이 든다. 생각하는 것 만큼 다른 사람들한테 사랑을 바라는건 기대보다 힘들었고 그들은 그 대신 매력적인 혐오를 선택했다.

232

누군가를 미워하고 증오하는 마음은 아주 손쉽게 다른 사람들을 사로 잡을수가 있으니까. 그들도 알 것이다. 누군가의 사랑을 조롱하는 혐오의 얼굴은 매우 폭력적이라는 걸 그리고 흉폭하고 악마 같은 말들에 내몰려 스스로 죽음을 선택한 이들이 많다는 것도 잘 알것이다. 설리, 변희수 하사, 육우당, 구하라.. 혐오헤 폭력적인 말에 상처를 받아서 하늘의 별이 된 사람들 말이다. 단지 자기 자신으로 살아가고 싶어했는데.

그래서 누군가의 사랑을 조롱하는 혐오의 얼굴을 가진 사람들한테 토해내듯이 말했다. 다른 사람의 사랑이 어떤 모습을 하고 있든 그것은 존중받아야 한다고. 절규에 가까운 목소리로 말했다. 모두가 아는 결말처럼 그들은 달라지지 않았다. 아니 저항을 밟아버리는 5월 광주의 계엄군처럼 더 잔인해졌다.

어떤 기억들은 떠올리는 것만으로도 하루치의 혹은 며칠 동안의 에너지를 빼앗어간다고 말하는 내용을 광주 민주화 운동에서 생존한 유공자분의 인터뷰에서 들었던 기억이 난다. 그 말이 맞다. 짧지만 고통스러웠던 기억들을 다시 떠올리는건 엄청난 양의 에너지를 소모하는 것으로 모자라 트라우마에 빠지게 하니까.

233

"저는 그걸 보고 가슴이 찢어지는 것 같았습니다. 아직도 잊쳐지지 않습니다. 왜냐면 영화가 아닌 현실에서 일어난 일이였으니까요. 이처럼 다른 사람을 모욕하는 행위를 공적 자리에 있는 사람이 행할때, 권력이 있는 사람이 행할때 그 행위는 모든 사람들한테 영향을 끼칩니다. 그런 행동을 해도 된다고 승인하는거니까요. 무례함은 무례함을 낳습니다. 폭력은 폭력을 부릅니다. 그리고 권력자가 다른 사람을 괴롭힐때 우리 모두는 패배합니다."

그 생각을 하니 74호 골든글로브 시상식때 메릴 스트립이라는 배우가 수상 소감을 이야기하면서 한 말이 떠올랐다. 아마 혐오와 증오에 발언들로 큰 논란을 만들었던 트럼프가 미 합중국의 대통령으로 취임하기 2주전에 했던 말인데 지금 이 순간 생각해봐도 상당히 와닿는다. 단순히 연설이 좋아하서 메릴 스트립의 목소리가 설득력이 있어서만은 아니다. 나 같은 소수자한테 이런 어른 한 명이 있었더라면 누군가가 권력을 가진 자가 나를 괴롭히고 다른 사람이 나를 괴롭히는 것을 방관할때 이런 사람이 한 명이라도 나를 이렇게 내 마음이 상처투성이지는 않았을 것이기 때문이다.

234

그런 사람을 찾고 간절히 찾았지만

결국 찾을수가 없었다.

아니 애당초부터 그런 사람이 있기를

바라는 것은 꽤나 사치스러운 것이겠지.

"난 너여서 괜찮다."

이 한 마디

내가 늘 듣고 싶었던 말이지만

아무도 해주지 않았다.

그 한 마디를 해줄 수 있는 사람을 찾는 대신
내가 그런 사람이 되자

삽질도 경험이니까

아직 몰라서 그렇지.

우리는 모두 세상을 사랑하는 존재들이니까.

그런 사람이 되기를 바라고 나는 웃으면서 담배를
껐다.

후기

안녕, 어떻게 적어야 할지 몰라서 그냥 생각나는데로 편지를 적게 되네. 뭐 어때? 원래 미리 준비해온 말보다는 생각나는데로 말해주는 말이 더욱더 마음에 와닿는다고도 하잖아. 어떤 사람들은 그렇게 믿지 않겠지만 말이야.

사실 이 편지를 적으면서 많은 생각이 들었어.
말하기 전에는 아무도 모른다는 어느 사람의 말 처럼 우리는 늘 숨어서 정체를 숨기면서 더 깊숙한 곳으로 존재하되 이름조차 불리지 못하는 인간들이니까.

그래서 내가 적는 편지가

누군가한테는 힘이 되었으면 좋겠어.

사실 이 마지막 파트를 적으면서 많은 사람들의 이야기가 떠올랐어. 고 변희수 하사, 구의역 김군, 육우당, 세월호의 아이들, 화력발전소에서 석탄 가루를 치우다가 기계에 깔려 죽은 청년.. 언급해야 하나 우리 사회에서 언급 당하지 않고 그림자럼 존재하는 사람들 말이야.

236

어쩌면 이 소설에 나오는 양다혜와 안소영도 그런 존재들이겠지.

이 소설을 적으면서 나는 많은 이야기들을 듣고 옮겨 적었어. 억압 같은 가부장제에 의문을 가지고 스스로 독립한 선생님의 이야기, 아버지의 학대를 피할 돈을 마련하기 위해서 남자한테 몸을팔려고 한 여자아이의 이야기 그리고 그런 여자아이한테 사랑에 빠진 레즈비언, 현실이 부당한 것은 알지만 아무것도 못하고 부당한 현실에 끌려다니는 아이 같은 우리 곁에 있지만 언급되지 않는 이야기 말이야.

나도 알아. 사람들은 그런 이야기 따위 원하지 않을 수도 있다는 말, 이런 이야기를 하는 것이 여성을 혐오하는 것이라는 여성시대 카페의 이야기, 어느 남성 페미니스트의 오만방자한 전화통화도 들어봤어. 그래도 포기할 생각은 없어. 아니 오히려 더 나아가야겠다는 생각이 들었어.

   "기억하고 싸우고 바꿔내는 일이 살아남은 자들의 몫이다."

237

불법촬영과 비동의 영상 유포 피해자분들을 돕는 단체에서 한 말인데 이 말처럼 우리는 기억하고 싸우고 바꿀 의무가 있어. 설령 그것이 우리가 알기 싫은 불편하고 찝찝한 진실이라고 해도 말이야. 그러지 않으면 세상은 전혀 바뀌지 않기 때문이야. 단 한 가지도.

그 원동력이 그 힘이 내가 막 엄청 단단하고, 강하고 단호하고, 멋있고 힘 있는 사람이 아닐지언정 내가 하루 하루 조금씩 충전한 이 힘으로 하루에 한 문장만 적을지언정 그 문장들로 구성된 책이 무시 받더라도 앞으로 나아가야 한다고 생각했어. 결과가 어떻게 나오던간에.

어차피 이번 생은 실험이니까.

삽질도 경험이니까.

하다보면 기적이 일어난다는 말을 믿고

계속 나아가보니까 어느새 소설이 완성되어져 있더라고.

238

그러니까 이 소설을 읽고 우리 더 사랑하고 더 연대하고 단단할게 서로 껴안으면서 살아가자. 끝까지 살아남아서 끈질기게 살아남아서 독하게 살아남아서 세상이 변하는 것을 우리의 눈으로 똑똑히 보여주자. 너 하나가 목소리 낸다고 세상이 변하지 않는다던 사람들한테 엿이나 처먹어. 라고 마음껏 마음껏 비웃어주자. 싸우지 않으면 전혀 변하지 않잖아.

사실 다들 아직 몰라서 그렇지. 우리 모두는 세상을 사랑하는 존재들이잖아. 그것만 기억해줬으면 좋겠어.

나한테 상처 준 사람들은 잊어버리고 나한테 위로와 힘을 준 사람들만 생각하면서 앞으로 나아가자.

시혜도 동정도 미움도 배척도 받고 싶지 않고 그냥 아주 평범하게 같이 살아갈수 있는 그런 미래를 만들어 나갈수 있다는 희망을 포기하지 마. 우리가 살아갈 세상은 달라야 하니까.

-보라색물결 송시무스-

239

양다혜 외전

앞으로 간다는 것도 어떤 선택을 해야하는지도 어떤 길을 가야하는지도 모른체 방황하던 나는 히로시마에서도 한국에서도 그대로이다.

"몸만 컸지. 아직 어린아이인거지."

라는 말이 적절한 단어이겠지...

수평선 조금 위에 올라타 있는 아침 해를 보면서 그런 생각을 했다. 그날 따라 하늘은 불평할 여지 없이 뚜렷하고 파랗고 내가 서핑을 하고 있는 바다의 물은 따뜻하고 무척이나 가볍지만 그 생각은 결코 떨어져 나가지 않는다.

"내가 지금 무엇을 하고 있는거지?"

애초에 타케시 레몬이라는 새로운 여자친구를 두고 이런 쓸모없는 잡담을 생각하는 것도 웃기지만 아직도 많은 시간이 흐르고 지금 이 순간에도 나는 안소영에 대한 미련을 아직도 놓지 못했다.

240

그러나 이곳의 아침바다는 너무나도 아름답다.서서히 밀려오는 파도의 매끄러운 움직임말로는 설명할 수 없는 복잡한 색의조화와 배합 그곳에 사로잡힌 듯 그저 봐라보면서 나도 내 몸을 태운 서핑보드를 바다 정면으로 밀어 넣으려고 한다. 그러나 아까전에 잡 생각 때문인지 나는 중심을 잃고 파도 밑으로 잠겨버린다.

또 실패

코로 들어가버린 바닷물 때문에 온 몸이 멍하다.

첫번째 문제, 나는 반년 동안 안소영을 잊지 못했다.

백사장에서 한 단 올라간 곳에 있는 잡초가 우거진 주차장에서 키가 큰 잡초 그늘에서 나는 딱 달라붙는 수영복을 벗고 알몸이 되어서 호스로 수돗물을 머리부터 뒤집어 재빨리 몸을 닦았다. 주위에는 아무도 없다. 달궈진 몸에 닿는 세찬 바닷바람이 기분이 좋다.

241

어깨에 닿지 않을 정도인 내 짧은 보라색 머리는 순식간에 말라버린다. 아침 해가 하얀색 반팔 라코스테 폴로 티에 잡초의 그림자를 뚜렷하게 비추고 있다. 바다는 언제나 좋아하지만 여름의 아침은 정말로 특별하게 좋다. 이것이 겨울이였으면 바다에서 올라와 옷을 갈아입는 이 순간이 힘들었을 것이다.

밝은 리바이스 505 청바지를 입을 무렵 타케시 레몬의 짙은 초록색 렌드로버의 특유의 시동음이 들렸다. 나는 아까전에 벗은 딱 달라붙는 수영복과 서핑보드를 들고 그 쪽으로 향했다.

"양다혜 어땠어?"

타케시 레몬은 웃으면서 말했다.

"오늘도 안돼. 바람은 좋았는데."

서핑 보드를 넣으면서 나는 말했다.

242

"느긋하게 해. 또 올거니까."

"응 오고 싶어. 레몬 넌 괜찮아?"

"괜찮아. 하지만 너무 서핑만 하지는 말고."

"알았어. 레몬 명심할게."

얼렁뚱땅 넘기려고 큰 소리로 대답하는 나를 보고 타케시 레몬은 웃었다.

몇 분 뒤 나는 그녀가 운전하는 짙은 초록색 랜드로 버 뒷 좌석에 탔다.

타케시 레몬의 영향으로 보디 보드를 시작한 것이 겨우 1달 전이다. 평소에도 서핑을 좋아하던 레몬의 서핑은 전혀 겉 멋이 아니라 완전히 힘든 스포츠였지만 첫 한 달은 오로지 바다에 나가기 위한 훈련이었다. 해가 저물때 까지 패들링과 돌핀 스루 바다라는 어마어마하게 거대한 것을 향해 가는 행위를, 이유는 모르지만 무척 아름답다고 생각했다. 그리고 보디 보드에도 상당히 익숙해진 한 달이 지난 어느 쾌청한 여름 나는 이번에 파도 위에 서보고 싶다고 갑자기 생각했다.

243

그러려면 쇼트 보드나 롱 보드에 탈 필요가 있었기 때문에 보드 열성팬인 나는 서핑이라면 쇼트 보드가 어울릴것 같아서 쇼트 보드로 전향하였다. 그리고 배우기 시작할 무렵에는 몇 번인가 우연히 파도에 선 적도 있었지만 그 이후에는 어쩐 이유인지 전혀 서지 못하고 있다.

어려운 쇼트 보드 따위는 때려치울까..

같은 생각도 했지만 이왕 한거 포기하지 말고 해보자는 생각으로 계속 임했지만 어느 순간 우물쭈물하다가 아무 것도 안 되는 것 같아서 두렵다. 쇼트 보트로는 파도를 탈수가 없다. 이것이 나의 두번째 고민이다. 그리고 나는 지금부터 맞서려고 한다.

-양다혜 외전-

246

247

도서명 양다혜

발 행 | 2024년 5월 27일
저 자 | 송시무스
펴낸이 | 한건희
펴낸곳 | 주식회사 부크크
출판사등록 | 2014.07.15.(제2014-16호)
주   소 | 서울특별시 금천구 가산디지털1로 119
SK트윈타워 A동 305호
전 화 | 1670-8316
이메일 | info@bookk.co.kr

ISBN | 979-11-410-8679-4

www.bookk.co.kr

250